Reprenez votre
VIE.
en main

Reprenez votre
VIE.
en main

52 façons concrètes et inspirantes
d'améliorer votre vie, une semaine à la fois

CHERYL RICHARDSON

Adapté par Lou Lamontagne

AdA *Inc.*

Collection
guide ressources

Révision : Cécile Rolland et Denise Pelletier
Traduction : Lou Lamontagne
Infographie : Martine Champagne
Graphisme de la page couverture : Martine Champagne

ISBN 2-89565-049-7
Première impression : 2001
Dépôts légaux : troisième trimestre 2001
Bibliothèque nationale du Québec
Bibliothèque nationale du Canada

Photographie de la page couverture : Deborah Feingold
Styliste photographique : Lynn McCann
Coiffeur : Barry Crites

ÉDITIONS ADA INC.
172, des Censitaires
Varennes, Québec, Canada   J3X 2C5
Téléphone : (450) 929-0296
Télécopieur : (450) 929-0220
www.ada-inc.com info@ada-inc.com

LES ÉDITIONS GOÉLETTE
600, boul. Roland-Therrien
Longueuil, Québec, Canada   J4H 3V9
Téléphone : (450) 646-0060
Télécopieur : (450) 646-2070

DIFFUSION
Canada : Éditions AdA Inc.
Téléphone : (450) 929-0296
Télécopieur : (450) 929-0220
www.ada-inc.com info@ada-inc.com
France : D.G. Diffusion
Rue Max Planck, B.P. 734
31683 Labege Cedex
Téléphone : 05-61-00-09-99
Belgique : Rabelais - 22.42.77.40
Suisse : Transat - 23.42.77.40

Imprimé au Canada

DONNÉES DE CATALOGAGE AVANT PUBLICATION (CANADA)

Richardson, Cheryl
    Reprenez votre vie en main : 52 façons concrètes et inspirantes d'améliorer votre vie, une semaine à la fois.
    Traduction de : Life makeovers.
    ISBN 2-89565-049-7
    1. Morale pratique. 2. Réalisation de soi. 3. Changement (Psychologie). I. Titre.
BF637.C5R5214 2001   158.1   C2001-941238-X

À mon époux, Michael,
l'homme dont la présence et l'amour
me ramènent toujours à l'essentiel.

REMERCIEMENTS

Lorsque vous demandez à la plupart des auteurs de parler de leur expérience dans le monde de l'édition, vous entendez habituellement des témoignages de frustration ou de déception. Tel n'est pas mon cas. J'ai eu la chance d'être soutenue par une équipe d'hommes et de femmes extraordinaires à la maison d'édition Broadway Books, qui m'ont appuyée à cent pour cent.

Mon éditrice, Lauren Marino, est en tête de liste. Merci de m'avoir soutenue avec sagesse et amour et de m'avoir encouragée à produire un livre digne du «bouche à oreille». Mon agente de publicité, Debbie Stier, est une femme extraordinaire. Ses compétences, son enthousiasme et sa détermination sans bornes ne sont que quelques-unes de ses qualités qui font d'elle la ressource la plus compétente du monde de l'édition. Merci de croire en moi Debbie et de m'avoir ouvert la porte des étoiles!

Je remercie Robert Allen d'avoir veillé à tous les détails tout au long du processus ainsi qu'à tout le reste de l'équipe de Broadway : Mario Pulice, Roberto de Vicq de Cumptich, Heather Flaherty, Brian Jones, Cate Tynan, Ruth Hein et la meilleure équipe de vente du monde de l'édition!

Mon agent, David Smith, président de DHS Literary, a été pour moi un important partenaire d'affaires ainsi qu'un ami. Je te remercie d'avoir guidé ma carrière d'écrivaine avec enthousiasme et intégrité. Je remercie également mon agente publicitaire, Christina Young, une vraie professionnelle qui a pris mon travail au sérieux. Merci de ton travail méticuleux dans la publication de mon livre.

En écrivant ces remerciements, je voudrais trouver une façon de remercier chacun de mes amis très chers qui ont joué un rôle essentiel dans ma réussite. Au risque d'oublier une personne, je voudrais dire à chacun de vous que je ne pourrais jamais vous remercier assez de votre amour et de vos encouragements, surtout les jours où mon énergie est à la baisse.

J'ai l'immense chance d'avoir une grande famille qui m'aime inconditionnellement et m'appuie dans mon travail avec passion. Ils constituent en eux-mêmes un service de publicité et de ventes formidables. J'aimerais remercier de tout cœur mon père et ma mère ainsi que mes frères et sœurs, Steven, Janice, Donna, Tom, Lisa, Walter, Shelly, Mark, Robert, Karen, Kerri, Missy et Max, et les parents de mon conjoint, Pat et Curt Gerrish.

Merci à ma chère amie et conseillère Shirley Anderson. Je te remercie de tes sages conseils et de tes précieux commentaires pour la révision, surtout ceux que tu m'as prodigués à la plage! Tu es ma « yoda ». Et de grands remerciements à Marilyn Abraham, qui continue, à distance, d'être mon ange gardien.

Je voudrais exprimer ma profonde gratitude envers Thomas Leonard pour m'avoir initiée à la notion de « prendre bien soin de soi », un concept qui a transformé ma vie et celle de bien d'autres personnes. Et j'aimerais remercier mes amis et mes collègues de l'Université des conseillers, surtout Melinda et Sandy Vilas, directrices générales de CoachInc.com, pour leur dévouement à une profession qui transforme actuellement la vie des gens.

J'aimerais remercier Katy Murphy Davis pour l'appréciation qu'elle a de mon travail et pour avoir su nourrir l'idée jusqu'à ce qu'il fût temps de la mettre au monde, Andrea Wilson, une femme avec qui il est si agréable de travailler, ainsi que Oprah, pour avoir changé ma vie.

Mon assistante personnelle, Jan Silva, est un cadeau du ciel! Grâce à toi, ma vie est bien organisée et j'ai pu conserver mon calme pendant les périodes les plus accaparantes.

Ce livre a été inspiré par des milliers d'hommes et de femmes qui font partie de la communauté en ligne de Reprenez votre vie en main. Chaque courriel d'encouragement, chaque question et chaque commentaire stimulant transparaissent grandement dans les pages de ce livre. Je vous remercie de votre détermination, celle de vivre de façon authentique et de contribuer à ce qu'il y ait plus d'amour dans ce monde.

Mon époux, Michael Gerrish, est un homme très spécial. Sans son amour, son soutien constant, les réflexions pertinentes et intuitives et son humour perpétuel, je ne serais pas là où je suis aujourd'hui. Je t'aime Michael, à l'infini multiplié par l'infini.

Et pour terminer, je remercie Dieu, la force divine qui me guide dans la vie.

TABLE DES MATIÈRES

INTRODUCTION

Rêvez-vous souvent de vivre une vie meilleure – une vie qui reflète davantage ce que *vous* êtes, vos valeurs et vos désirs les plus profonds? Combien de fois avez-vous terminé une semaine chargée en vous imaginant en train de faire votre valise pour ensuite tout quitter? Vous savez certainement, j'en suis sûre, que la plupart des gens vivant dans le monde d'aujourd'hui vivent avec la désagréable impression que quelque chose leur manque ou qu'ils sont en train de passer à côté de la vie. Beaucoup d'entre nous aspirons à avoir plus de temps pour découvrir qui nous sommes et ce que nous voulons vraiment avant qu'il ne soit trop tard.

Au cours des neuf dernières années, j'ai œuvré en tant que conseillère personnelle, aidant mes clients à faire le point sur leur vie et à se rapprocher davantage de l'essentiel. L'objectif était d'améliorer la qualité de leur vie. Les améliorations à apporter variaient selon le client. Pour certains, l'obtention d'un nouvel emploi davantage en harmonie avec leurs valeurs et leur besoin de se créer une vie à l'extérieur du travail a contribué à faire une différence. Pour d'autres, le fait d'obtenir le bon soutien ou de mettre en place des systèmes de contrôle leur a permis d'éliminer le stress inhérent au succès. Il n'était pas rare non plus de voir des clients éliminer des éléments ou simplifier leur vie de façon draconienne dans le but de retrouver la paix et la sérénité qu'ils désiraient. Chaque client avait une histoire unique, et tous avaient un même but – vivre une vie plus authentique, une vie qui reflétait leurs valeurs et leurs priorités les plus importantes. Voyons si certaines de ces histoires vous semblent familières…

Olivia, debout devant la fenêtre de son bureau qui donne sur la ville, se demande où se dirige sa vie. Son travail de directrice pour une entreprise technologique de fine pointe lui donne l'impression d'avoir été à bord d'un TGV. Le cours des actions est à la hausse, les ventes sont mirobolantes et elle a contribué grandement au succès de sa division. Son travail la stimulait jadis, mais maintenant, Olivia se sent misérable. Bien qu'elle ait trouvé la vie qu'elle croyait désirer, elle a l'impression de s'être perdue.

Olivia se lève tôt le matin, arrive à la salle d'exercices à 6 h 00, entre au bureau à 8 h 00 et quitte son travail le soir après 19 h 30 la plupart du temps. Elle rêve de la vie qu'elle menait auparavant, lorsqu'elle passait plus de temps avec ses amis, qu'elle avait des rendez-vous galants régulièrement et qu'elle avait plus de temps pour elle. À ce stade-ci, Olivia confie qu'elle a l'impression de vivre une longue journée monotone à la suite l'une de l'autre. Elle est fatiguée, elle se sent seule et elle est mûre pour un changement.

La situation d'Olivia est un bon exemple de ce qui peut arriver lorsque nous consacrons une si grande part de notre vie au travail — nous passons à côté de la vie. Nous allons de l'avant, tête baissée, nous allons chercher un sentiment de satisfaction au travail, tel le besoin d'appartenance, de reconnaissance et l'impression d'avoir réalisé quelque chose, pour découvrir tout à coup que nous n'avons plus de vie personnelle dont nous pouvons jouir lorsque nous rentrons le soir. Cette prise de conscience peut produire un grand choc.

Par contre, le problème est parfois légèrement différent. Prenez par exemple le cas de David. La réussite l'a mené beaucoup plus loin qu'il ne l'avait escompté. Assis à son bureau à la fin d'une journée exigeante, il se demande si tout son dur labeur lui procure vraiment des bénéfices. Son entreprise de services-conseil a plus que jamais le vent dans les voiles. Il a fait plus d'argent cette année que dans les deux années précédentes combinées, et il se souvient à peine du temps où il avait à se soucier de pouvoir payer ses employés. Malgré tout cela, David déambule dans la vie avec le sentiment que quelque chose lui manque. Bien qu'il ait atteint le niveau de succès qu'il avait espéré, cette situation ne lui procure pas le sentiment qu'il avait prévu. Ses responsabilités sont plus nombreuses que jamais. Il a une épouse aimante, trois petits enfants, une grande maison à la campagne et vingt-cinq employés sous sa direction. Au lieu d'apprécier la place qu'il s'est créée, David dit qu'il se sent davantage comme un employé au service de tout le monde. Il rêve souvent de vendre son entreprise, de mener une vie plus simple avec sa famille et de tenter sa chance dans un nouveau projet. David n'est pas certain de vouloir continuer à payer un tel prix pour assurer sa réussite.

Puis il y a le cas de Margaret, dont l'état d'insatisfaction relève davantage du défi intérieur que des circonstances extérieures. Après avoir reconduit les enfants à l'école, Margaret se rend au travail avec le sentiment d'être divisée. Mère de deux garçons et propriétaire d'une entreprise grossiste spécialisée dans le créneau du cadeau, Margaret a l'impression d'être tiraillée entre deux pôles. D'une part, elle est nourrie par la sensation stimulante et le sentiment de réalisation que lui procure son entreprise en pleine expansion, d'autre part, elle aimerait tellement être auprès de ses garçons et les voir grandir. Le stress occasionné par ce conflit commence à l'épuiser. Il est difficile de conjuguer ce qui semble être deux emplois à temps plein (son entreprise et sa famille), car la pression supplémentaire causée par ce conflit intérieur lui rend sa vie insoutenable. Margaret sait bien que quelque chose devra céder.

Bien que les détails de votre vie peuvent être différents, le sentiment de frustration, d'épuisement et de solitude peuvent vous sembler très familiers. Pour plusieurs d'entre nous qui vivons dans une société frénétique carburant à l'adrénaline, les questions sur le sens de la vie et le vrai bonheur nous accompagnent continuellement dans notre vie quotidienne. Nous aspirons à quelque chose de plus. Nous payons un prix à passer des années à chercher le bonheur et le sentiment de plénitude en dehors de notre travail. Nous avons perdu notre intérieur dans la folie quotidienne de nos vies trépidantes.

En tant que conseillère personnelle, j'établissais un partenariat avec mes clients et au cours de nos rencontres hebdomadaires, je les aidais à réévaluer leurs priorités, à redéfinir la notion de réussite selon une perspective plus holistique de la vie et à entamer les actions nécessaires pour provoquer les changements positifs qu'ils désiraient. À chaque semaine, les clients quittaient mon bureau avec un plan d'action en main. J'ai rapidement remarqué que les petits devoirs hebdomadaires qu'ils devaient faire commençaient à faire une grande différence. L'un de mes clients, qui avait vécu dans un environnement chaotique et bordélique depuis des années, a commencé à mettre de l'ordre dans ses affaires et a acquis un tout nouveau point de vue sur sa vie. Une cliente qui avait encouru une lourde dette financière en raison de l'attitude irresponsable qu'elle avait eue pendant des années a commencé à intégrer chaque semaine de petits changements qui ont amélioré son statut financier, et ses économies ont commencé à s'accumuler.

Au fil de mon travail avec mes clients, j'ai beaucoup appris sur ce qui nous empêche de vivre des vies authentiques, dotées de sens. De plus, lorsque mon intérêt a changé et que je suis passée du travail individuel au travail de groupe, j'ai amassé aussi beaucoup d'information sur ce qui freinait le progrès au sein d'un groupe. En décembre 1998, j'ai publié *Prenez le temps de choisir votre vie* dans le but de partager ces connaissances avec un plus grand public. Dans ce livre, j'ai guidé mes lecteurs dans le même processus de cheminement que j'utilisais auprès des clients que je voyais dans ma pratique privée. Les étapes présentées dans le livre ont été conçues pour permettre aux lecteurs d'examiner leur vie de façon réaliste et de les aider à identifier ce qu'ils devaient changer pour se sentir plus heureux et vivre une vie d'une qualité supérieure.

Par exemple, j'ai invité les lecteurs à prendre soin d'eux-mêmes et d'en faire une priorité absolue afin qu'ils puissent faire des choix de vie proactifs au lieu d'être en réaction. Je les ai guidés dans un processus qui les a amenés à mettre de l'ordre dans leurs priorités, à identifier et à éliminer les éléments qui drainaient leur énergie et à investir dans leur santé financière afin qu'ils puissent se sentir davantage en contrôle de leur vie. J'ai sensibilisé les lecteurs aux défis qui surviennent lorsque l'on vit dans une société qui carbure à l'adrénaline et je leur ai montré comment ralentir pour échanger des carburants malsains, comme le café, le sucre et l'anxiété, contre des carburants plus sains, comme participer à la vie d'une communauté soutenante et adopter une pratique spirituelle personnalisée.

J'ai aussi fait des tournées de conférences sur ces sujets auprès de plus grands auditoires composés de personnes qui vivaient de la désillusion face à leur vie. Au fil des conversations avec mon public et des courriels que j'ai reçus des lecteurs de mon premier livre, j'ai pu constater que ces stratégies fonctionnaient bien et que les gens en voulaient davantage. Ils voulaient entendre parler davantage de personnes qui opéraient des changements dans leur vie et désiraient recevoir des petits devoirs hebdomadaires qui les aideraient à mettre en pratique les conseils que j'avais suggérés dans le livre. C'est alors que j'ai décidé d'utiliser la technologie pour m'aider dans mon travail.

En janvier 1999, j'ai lancé un bulletin en ligne intitulé *Reprenez votre vie en main* en l'an 2000. J'ai conçu le bulletin de façon à apporter un soutien aux lecteurs en leur proposant des stratégies simples et concrètes qu'ils pouvaient adopter pour améliorer leur vie personnelle et professionnelle, sur une base hebdomadaire. À partir de mon expérience d'encadrement acquise auprès de ma clientèle, j'ai décidé d'utiliser le processus « une semaine à la fois » non seulement pour faciliter le travail de transformation mais pour rendre aussi le processus agréable et efficace. Chaque semaine, je choisissais au hasard un sujet qui traitait d'une certaine dimension de la croissance personnelle ou professionnelle, et j'ajoutais une action spécifique que les lecteurs pouvaient faire au cours de la semaine pour améliorer leur situation en rapport à ce thème. Les lecteurs amorçaient ces actions et voyaient que leur vie commençait à changer. Aussi, tous les petits changements qu'ils effectuaient commençaient à se faire plus nombreux.

La communauté de « Reprenez votre vie en main » commença à croître au fur et à mesure que les lecteurs envoyaient le bulletin hebdomadaire à des amis, à des membres de la famille et à des collègues de travail partout dans le monde. Par exemple, une femme qui était doyenne d'une université bien connue distribua le bulletin dans toute l'institution. Un autre lecteur, président d'une entreprise de fabrication, décida d'expédier le bulletin hebdomadaire à tous les employés. Ce qui était au début une communauté de quelques centaines de personnes se transforma rapidement en un groupe de plusieurs milliers de personnes en une année.

Le fondement de ce processus hebdomadaire résidait dans ma philosophie d'encadrement de base, celle de prendre le plus grand soin de soi. Ce concept, qui m'a été présenté par mon collègue Thomas Leonard, mettait à défi les lecteurs et les invitait à prendre un si grand soin d'eux-mêmes que le programme semblait parfois enseigner les préceptes de l'égoïsme. Cette approche avait sa raison d'être. Selon mon expérience en tant que conseillère, j'ai appris que lorsque les clients prenaient grand soin d'eux-mêmes en posant par exemple des gestes comme prendre congé de façon régulière, dire non plus souvent à des personnes ou à des projets qui drainaient leur énergie, et écouter leur sagesse intérieure pour ensuite agir selon ses consignes, leur niveau de stress chutait et la satisfaction qu'ils éprouvaient à l'égard de leur vie augmentait. Ils se sont mis aussi à prendre soin des autres de façon beaucoup plus saine. Cette prise de conscience devint mon principal objectif – aider les gens à prendre un plus grand soin d'eux-mêmes pour qu'ils puissent prendre davantage soin des autres et de leur entourage.

• • •

Le programme « Reprenez votre vie en main » est une puissante démarche de changement d'une durée d'un an. Il est conçu pour vous aider à changer *votre* vie une semaine à la fois. Chaque chapitre (semaine) présente un thème de la semaine et contient une section « Passez à l'action » ainsi qu'une section « Ressources » qui vous aideront à poser des gestes rapidement et facilement. (Plusieurs de ces ressources ont été fournies par notre communauté en ligne.)

Le processus se veut simple et agréable. Bien que j'aie conservé la démarche originale qui amène le lecteur à amorcer sa démarche en début d'année (janvier) et de la poursuivre jusqu'à la fin (décembre), je vous invite à utiliser ce livre à votre manière. Peu importe que vous décidiez de commencer au début du livre et de travailler à partir de la semaine 1 jusqu'à la semaine 52, ou d'ouvrir le livre au hasard ou de repérer un chapitre contenant un thème sur lequel vous voulez travailler. Ce qui importe le plus, c'est que vous *posiez* un geste concret à partir du contenu qui vous est présenté. Après tout, passer à l'action constitue la seule façon de créer un changement positif et durable dans votre vie. Au fur et à mesure que vous mènerez à terme les devoirs hebdomadaires prescrits à la section «Passez à l'action», vous verrez comment les acquis s'accumuleront d'une semaine à l'autre et avant même de vous en apercevoir, vous commencerez à vivre vous aussi d'importants changements positifs!

Lorsque vous amorcerez ce programme hebdomadaire, l'outil le plus puissant qui vous aidera à mettre en pratique les actions proposées dans ce livre est la présence d'un partenaire ou d'un groupe de gens avec lesquels vous avez des affinités et qui sont intéressés eux aussi à améliorer leur vie. Je n'insisterai jamais assez sur ce point. La présence d'une communauté est un ingrédient extrêmement important dans votre réussite. La création d'un partenariat avec un collègue de travail, un membre de votre famille ou un ami équivaut à l'acquisition d'une police d'assurance-vie qui génère beaucoup plus d'argent en dividendes. Vous pouvez même créer votre propre groupe de lecture, votre groupe de travail ou votre équipe familiale. Une fois votre partenariat établi ou votre équipe en place, suivez ces quatre directives simples.

1. Établissez un plan qui indiquera comment vous vous apporterez du soutien. Par exemple, vos rencontres se feront-elles par téléphone ou en personne? À quelle fréquence vous rencontrerez-vous et dans quel lieu?

2. Étudiez le thème de la semaine et dites comment ce thème vous touche et concerne votre vie.

3. Engagez-vous à posez une action spécifique suggérée à la section «Passez à l'action» et informez votre partenaire ou votre équipe de travail de ce que vous entreprendrez au cours de la semaine.

4. Prévoyez un temps où vous vous retrouverez afin de pouvoir raconter vos progrès et célébrer vos réussites.

N'ayez pas peur de demander du soutien pendant la semaine. Au début, il se peut que vous ayez besoin d'aide plus souvent. Ces simples histoires d'inspiration et d'action peuvent faire toute la différence dans votre vie et dans la vie des gens pour qui vous comptez. Une seule petite action soutenue peut transformer grandement votre vie, alors ne laissez pas la peur, la tergiversation ou le doute vous entraver le chemin.

Préparez-vous à l'épanouissement dans votre vie. En procédant à un grand nettoyage, en reprenant contact avec votre sagesse intérieure, en fortifiant votre caractère et en relevant les défis qu'exige une vie saine, vous constaterez que les parties de vous qui sont éclatées se rassembleront pour former un tout qui vous ouvrira la voie vers une vie extraordinaire! Bonne chance!

Semaine 1

LE PÉRIPLE COMMENCE !

D'abord, aimez-vous vous-même et tout le reste suivra.
LUCILLE BALL

C'est le début de votre voyage qui vous amènera à reprendre votre vie en main, et j'imagine que vous avez déjà commencé à penser aux changements que vous voulez apporter dans votre vie. Ou vous avez peut-être l'impression que quelque chose doit changer mais vous ne savez pas quoi. Bien souvent, lorsque nous amorçons un nouveau virage dans notre vie, nous commençons par établir des objectifs et prendre des résolutions. Toutefois, j'aimerais que vous débutiez ce périple de façon différente. J'aimerais que vous commenciez en reconnaissant ce que vous avez déjà accompli, et ce qui importe le plus, en reconnaissant la personne que vous êtes devenue au cours de la dernière année.

Il faut être un être de grande qualité pour construire une vie de grande qualité! Ne vous précipitez pas dans cette nouvelle année en essayant désespérément de vous rattraper ou de combler ce que vous n'avez pas fait dans le passé. Ce type de précipitation frénétique et de mea culpa désespéré vous retient dans le passé et fait que vous vous sentez mal dans votre peau. Partez du bon pied dans ce processus en vous traitant avec douceur. Réservez-vous du temps pour réfléchir sur ce que vous avez fait de *bon* au cours de la dernière année en répondant aux questions suivantes :

- Quelles qualités de caractère avez-vous cultivées ? Exprimez-vous davantage aux autres ce que vous ressentez ? Avez-vous appris à fixer des limites face aux gens qui vous vident de votre énergie ? Avez-vous peut-être amélioré vos habiletés de communication ou êtes-vous devenu plus sensibles aux besoins des autres ?

- Avez-vous posé un geste de bonté ou soutenu d'autres personnes d'une façon ou d'une autre ? Avez-vous aidé un ami qui vit un divorce ou avez-vous pris soin d'un parent âgé ? Vous avez peut-être œuvré comme entraîneur auprès de l'équipe sportive dans laquelle joue votre enfant ou travaillé bénévolement pour un organisme à but non lucratif ?

- Quels bons souvenirs avez-vous créés avec les personnes que vous aimez ? Avez-vous pris des vacances qui ont été particulièrement mémorables ? Avez-vous organisé un événement qui a favorisé un rapprochement entre les gens ? Avez-vous vécu des moments plus spéciaux que d'autres ?

- Qu'avez-vous réalisé ou accompli ? Réfléchissez autant sur votre vie personnelle que professionnelle. Avez-vous atteint les objectifs que vous vous étiez fixés pour votre entreprise ou avez-vous obtenu une promotion à votre travail ? Avez-vous terminé un projet important, comme écrire un livre ou créer un atelier, ou avez-vous canalisé votre énergie créative en peignant ou en faisant la cuisine ?

Les réponses à ces questions vous aideront à amorcer le processus dans un état d'esprit différent – un état d'esprit qui est soutenant pour vous-même et durable. Après tout, on ne peut pas s'épanouir de façon positive en s'autoflagellant. Misez sur ce qui a bien fonctionné et créez un espace qui vous permettra d'amorcer une merveilleuse nouvelle année !

PASSEZ À L'ACTION

Je vous invite à amorcer ce processus en tenant un journal personnel. Prenez le temps cette semaine de vous offrir un cadeau spécial. Vous utiliserez ce journal au cours de toute cette démarche qui vous amènera à reprendre votre vie en main et à en saisir les éléments qui la composent. Assurez-vous donc de choisir un support qui vous plaît vraiment.

Pour la première entrée, réfléchissez sur ce que vous avez fait au cours de la dernière année et constituez une liste de vingt-cinq (oui, vingt-cinq!) réalisations pour lesquelles vous êtes le plus fier. Cette liste peut inclure des qualités que vous avez acquises en tant que personne, des objectifs que vous avez atteints et des changements positifs que vous avez faits dans votre vie.

Faites en sorte que cet exercice soit facile. Gardez une feuille de papier dans le tiroir de votre bureau, collez-en une sur le miroir de votre salle de bain ou dans votre agenda, et au cours des prochaines semaines, écrivez les points qui vous viennent à l'esprit comme ils se présentent. Vous pouvez même instaurer une nouvelle habitude, celle de réfléchir sur ces réalisations à la même heure, chaque jour. Par exemple, lorsque vous vous réveillez, passez quelques minutes dans votre lit à revoir dans votre tête ce que vous avez accompli de bien au cours de la dernière année. Ou utilisez le temps que vous prenez pour vous brosser les dents ou vous rendre au travail pour penser à vos réalisations. À la fin de la semaine, vous en aurez peut-être plus de 25 – et c'est permis!

Lorsque vous avez terminé la liste, montrez-la à votre partenaire ou à votre équipe. Mieux encore, faites une fête de la vantardise et invitez plusieurs personnes à se réunir pour partager leur liste. Prenez le temps de reconnaître vos réalisations et de célébrer vos réussites – c'est un moyen important de renforcer la relation que vous avez avec vous-même, première étape dans la création de la vie que vous voulez.

Pour ceux d'entre vous qui craignent que cet exercice ne mousse quelque peu leur orgueil, qu'ils se souviennent de cette consigne : la capacité de voir le bon chez les autres commence par la capacité de voir le bon chez soi.

Mes cinq plus grandes réalisations sont :

1. _____

2. _____

3. _____

4. _____

5. _____

Au cours de la dernière année, j'ai grandi sur les trois plans suivants :

1. _____

2. _____

3. _____

RESSOURCES

Brushdance
100, avenue Ebbtide, #1
Sausalito, CA 94965, É.-U.
(800) 531-7445
http://www.brushdance.com
Une excellente ressource pour vous procurer un journal personnel, des cartes de souhaits virtuelles, des aimants, des éphémérides et des cartes de souhaits sur nouveau papier.

What You Need to Know Now – a Road Map for Personal Transformation [Ce que vous avez besoin de savoir maintenant – un guide pour la transformation personnelle] (cassette et CD),
par Marcia Pear
Pour commander :
Live Your Light Foundation
(707) 522-9529
http://www.liveyourlight.com
Un merveilleux récit d'aventure (accompagné de musique) qui démystifie le chemin de l'évolution personnelle, fournit des outils concrets et propose des étapes à suivre pour faire face aux changements et aux transitions de vie.

The 12 Secrets of Highly Creative Women : A Portable Mentor [Les 12 secrets utilisés par les femmes très créatives : un mentor à votre disposition],
par Gail McMeekin
(California : Conari Press, 2000)
Ce livre trace le portrait de quarante-cinq femmes créatives des temps modernes (Sarah Ban Breathnach, Barbara Sher, Clarisssa Pinkola Estes et autres) et présente les douze secrets qui leur ont ouvert les portes de la réussite.

How Much Joy Can You Stand? How to Push Past Your Fears and Create Your Dreams,
par Suzanne Falter-Barns
(New York : Wellspring, 2000)
Ce livre nous donne le bon coup de pied qu'il nous faut pour aller de l'avant et réaliser nos rêves. Non seulement déconstruit-il les mythes concernant la création mais il propose aussi des exercices agréables et inspirant qui donnent des résultats !

Making Your Dreams Come True [Réalisez vos rêves],
par Marcia Wieder
(New York : Harmony Books, 1999)
Une approche qui, étape par étape, vous amènera à trouver ce qui vous passionne et à obtenir ce que vous désirez.

Semaine 2

UNE NOUVELLE ANNÉE POUR LA NOUVELLE PERSONNE QUE VOUS ÊTES

Le monde récompense ceux qui prennent en main leur propre succès.
CURT GERRISH

Maintenant que vous avez eu l'occasion de faire honneur à vos réalisations et à la croissance que vous avez vécue pendant la dernière année, le temps est venu d'établir un nouvel objectif. Au lieu de penser aux éléments que vous aimeriez intégrer au cours de ce processus ou ceux dont vous aimeriez vous débarrasser, essayez de faire quelque chose de différent. Je vous suggère de vous fixer un objectif *intérieur,* un but qui vous amènera à mettre l'accent sur votre développement personnel ou sur la consolidation de votre caractère au cours de la prochaine année.

Des changements à long terme commencent à l'intérieur. En portant votre attention sur des buts tels que devenir plus honnête, plus courageux ou plus créatif, vous constaterez qu'il vous sera plus facile de trouver la clé qui vous permettra de réaliser vos objectifs. Au fur et à mesure que vous fortifierez tous les aspects de votre être, vous prendrez conscience que votre lumière intérieure brillera davantage. En portant cette lumière plus intense en vous, vous constaterez probablement que les occasions et les ressources qui mènent à la réalisation de vos objectifs extérieurs s'offriront à vous.

Quelle qualité voulez-vous développer davantage au cours de la prochaine année ? Sur quel plan avez-vous besoin de grandir ? Si vous ne savez pas trop où porter votre attention, voici quelques exemples :

Cette année, j'ai l'intention de :

Devenir responsable sur le plan financier

Réévaluer mes priorités les plus importantes et y adhérer

Être patient

Être plus aimant et aimable

Être capable d'établir des limites et de dire non

Être courageux, brave et fonceur

Avoir l'esprit ouvert

Être reconnaissant

Être proactif au lieu d'être en réaction

Être aventureux

Être confiant et fidèle

Une fois que vous aurez choisi la qualité que vous désirez travailler, appliquez ce processus en trois étapes :

Étape 1. Écrivez une affirmation positive, au temps présent, qui a trait à cet objectif.

Étape 2. Imprimez cette affirmation sur une feuille de papier et placez-la sur un mur chez vous ou au travail.

Étape 3. Choisissez trois actions que vous pouvez entreprendre au cours de la semaine qui suit pour commencer à développer cette qualité immédiatement.

Penchons-nous maintenant sur quelques exemples.

Imaginez que vous avez décidé de devenir cette année une personne plus responsable sur le plan financier. Vous pouvez faire une affirmation dans laquelle vous direz :

« J'aime être une personne responsable sur le plan financier. »

Ensuite, placez cette affirmation dans un endroit où vous pourrez la voir souvent. Puis, décidez des actions que vous entreprendrez pendant la semaine. Vous déciderez peut-être de régler vos factures, de concevoir un plan pour éliminer vos dettes et de prendre rendez-vous avec un conseiller financier.

Maintenant, imaginons que le but que vous vous êtes fixé est d'améliorer votre capacité de rester concentré sur un objectif. Vous pouvez faire l'affirmation suivante :

« À chaque jour, je concentre mon attention sur mes trois priorités les plus importantes. »

Une fois que vous avez affiché cette affirmation sur votre mur, établissez les actions que vous allez mener. Vous fermerez peut-être la sonnerie de votre téléphone pendant deux heures chaque jour pour pouvoir vous concentrer sur le travail que vous avez à faire. Vous pouvez établir des limites claires auprès de vos employés pour éviter les interruptions. Vous pouvez créer aussi un rituel matinal qui vous amène à identifier et à éliminer tout élément de distraction qui vous empêche de vous concentrer sur ce qui est important pendant la journée.

Lorsque vous réfléchissez sur la qualité que vous aimeriez acquérir, rappelez-vous que la façon la plus rapide de vous doter d'une nouvelle vie est de vous concentrer sur votre amélioration personnelle. Faites en sorte que le développement de cette qualité soit votre priorité absolue et concentrez-vous avec soin sur les étapes qui vous mèneront à intégrer ce changement. Une fois que vous aurez choisi une qualité, vous constaterez que l'univers vous fournira de nombreuses occasions pour vous pratiquer. Ne vous inquiétez pas ! Tenez-vous debout et bien droit et relevez ces défis avec courage. Plus vous le ferez prestement, plus vous acquerrez rapidement une toute autre façon d'être dans le monde.

Si vous commencez chaque semaine en vous dotant d'un plan qui vous indiquera comment continuer à développer la qualité que vous avez choisie, vous récolterez de grandes récompenses. Vous constaterez que votre confiance en vous augmente, que vous faites confiance à votre instinct (et le suivez) plus souvent et que vous atteignez vos objectifs avec beaucoup moins d'efforts. En vous concentrant sur *la personne*, vous constaterez probablement que *l'objet* trouvera sa place. En vérité, il est beaucoup plus facile d'adopter une approche de croissance proactive en *choisissant* la façon de vous développer que d'attendre que la vie vous lance quelques balles fuyantes sous forme de leçons. Toutes mes félicitations pour la personne nouvelle que vous êtes!

PASSEZ À L'ACTION

Ouvrez votre journal personnel et prenez un temps cette semaine pour écrire où vous en êtes rendu à ce stade-ci de votre vie, en rapport à la qualité que vous voulez acquérir. Par exemple, si vous sentez que vous êtes une personne qui a peur des expériences nouvelles, écrivez au sujet des peurs et des inquiétudes que vous avez actuellement. Cet exercice vous fournira un cadre de références et vous prendrez connaissance des progrès que vous aurez accomplis lorsque vous relirez votre journal au cours de l'année.

Une fois que vous aurez choisi la qualité que vous aimeriez le plus développer (ou que vous avez besoin de développer) cette année, suivez le processus en trois étapes que je vous ai livré ci-haut. Mettez votre affirmation bien en vue et commencez chaque semaine en identifiant trois actions qui vous mèneront à la croissance. Puis, assurez-vous de mener ces actions à terme!

La qualité que j'aimerais développer le plus est :

_____

Mon affirmation est :

_____

Les trois actions que j'aimerais mener cette semaine sont :

1. _____

2. _____

3. _____

RESSOURCES

The Life We Are Given [La vie qui nous est donnée],
par George Leonard et Michael Murphy
(New York : Putnam, 1995)
Un programme de longue haleine qui permet de réaliser votre potentiel sur le plan du corps, de l'esprit, du cœur et de l'âme.

Love Precious Humanity [Aimez cette humanité précieuse],
par Kayt Kennedy, éditeur
(Florida : Star's Edge International, 1999)
Un recueil de sagesse de Harry Palmer, concepteur du cours Avatar – des cours sur l'évolution personnelle, le développement personnel et la reprise de son pouvoir personnel, enseignés dans cinquante-huit pays.

Lifewise Living Daily Calendar [Éphéméride pour vivre dans la sagesse],
par Rebecca Lang et Jeri Engen
Creative Health Designs
4615, 80ᵉ Place
Urbandale, IA 50322, É.-U.
(515) 276-4764
Une merveilleuse collection de pensées et d'actions motivantes.

Semaine 3

POUR RETROUVER LA PARTIE DE VOUS QUE VOUS AVEZ PERDUE

Lorsque vous êtes en isolement cellulaire et que vous êtes à deux mètres sous le sol, sans lumière, ni son, ni eau courante, il n'y a pas d'autre endroit où aller qu'à l'intérieur de soi. Et lorsque vous allez en vous-même, vous découvrez que tout ce qui existe dans l'univers est en vous.

RUBIN CARTER, *THE HURRICANE [L'OURAGAN]*

Au cours de mes années de travail en tant que conseillère, j'ai souvent entendu les gens dire que quelque chose manquait à leur vie. Habituellement, ils avaient beaucoup de difficulté à cerner exactement quel était ce quelque chose. Que ce soit un ami qui se dit insatisfait au travail ou une lectrice qui demande de l'aide pour se retrouver intérieurement, au-delà de toute la folie quotidienne qu'elle doit affronter au travail et dans ses responsabilités parentales, il semble que plusieurs d'entre nous luttons pour trouver un sens à notre vie.

Si vous vous sentez insatisfait de votre vie, ou si vous avez l'impression que quelque chose vous manque, voici une piste de réflexion pour vous : peut-être que ce qui vous manque dans votre vie, c'est *vous*.

Nous vivons dans un monde qui nous tire toujours à l'extérieur de nous-mêmes. Entre les médias, le travail et les responsabilités de la vie, notre regard est toujours tourné vers l'extérieur. Selon moi, c'est la raison principale pour laquelle tant de gens se sentent dans la mauvaise voie ou sur un chemin qui n'est pas le « bon ». Voyez-vous, la boussole la plus précise – notre sagesse intérieure – est à l'intérieur de nous. Donc, lorsque nous passons tant de temps de notre vie à nous concentrer sur ce qui est «à l'extérieur», nous nous perdons et nous ressentons de la confusion.

Envisagez la situation de la façon suivante. Imaginez que votre vie est une roue géante, avec des rayons qui touchent chaque partie de votre vie – le travail, les relations, la famille, la communauté, la santé, tous ces aspects de la vie. Au centre de cette roue se trouve un noyau de connaissances, de sagesse et d'expérience qui est *vous*. Plus vous serez branché à ce centre, plus vous serez lié à vos valeurs, à vos besoins et à vos désirs. Par la suite, le sens et le but de votre vie se préciseront.

Avant d'identifier cet «aspect» qui semble manquer à votre vie, vous devrez apprendre à connaître votre intérieur de la même façon que vous apprendriez à connaître un nouvel amant ou un nouvel ami – vous investissez le temps et l'attention nécessaire pour que cette relation importante puisse prendre forme. Nombreuses sont les voies qui vous mèneront à votre intérieur. En voici quelques exemples :

1. *Tenez un journal personnel.* Croyez-moi, vous aurez l'impression de m'entendre radoter lorsque je vous parlerai de cette démarche, mais il s'agit là d'une technique tellement efficace pour rétablir un lien avec vous-même que j'aurai raison de vous le répéter. Écrivez votre histoire. Écrivez ce qui fonctionne ou ce qui ne fonctionne pas dans votre vie. Écrivez *quelque chose* pour amorcer un dialogue continu avec vous-même.

2. *Captez vos rêves.* Pour un instant, oubliez vos rêves et vos buts conscients. Répertoriez les rêves que vous faites pendant votre sommeil. Les rêves nous donnent accès à notre monde intérieur. Ils reflètent souvent nos désirs, nos peurs et nos espoirs les plus profonds. Si vous commenciez à poser vos rêves sur papier (même les fragments dont vous vous souvenez à peine), vous apprendriez beaucoup sur vous-même, et ce très rapidement. Et si, à la lecture de ces conseils, vous vous dites «mais je ne rêve pas» ou «je ne me souviens pas

de mes rêves », ne vous en faites pas. Une fois que vous commencez à saisir la moindre pensée ou le moindre fragment de rêve, votre subconscient perçoit que vous êtes à l'écoute et vous récompense en vous faisant accéder davantage à vos rêves.

3. *Dotez-vous d'une communauté de soutien.* Rassemblez un petit groupe d'amis en qui vous avez confiance et invitez-les à se joindre à vous dans cette quête intérieure. Fixez-vous des rencontres régulières et utilisez ce temps pour partager ce que vous apprenez sur vous-même. Le fait d'avoir un milieu dans lequel vous vous sentez à l'aise pour partager vos pensées et vos sentiments vous aidera à découvrir de l'information importante sur qui vous êtes et sur le but de votre périple dans ce monde.

4. *Revitalisez votre vie spirituelle.* Consacrez un temps chaque jour à votre vie spirituelle. Faites l'étude de ressources qui vous inspireront sur le plan spirituel, comme la Bible, la Torah ou la Bhagavad Gita. Étudiez les enseignements de Jésus Christ, de Sai Baba ou du Dalaï Lama. Retournez aux rituels et aux prières qui vous ont déjà apporté du réconfort et rapproché du divin. Écrivez dans votre journal personnel des lettres adressées à Dieu. Cette pratique quotidienne créera une atmosphère spirituelle et vous aidera à entendre plus clairement la voix de votre âme.

Bien que ces démarches soient d'excellentes techniques pour vous retrouver intérieurement, ce qui importe le plus est la consigne suivante :

Quand vous vous promettez de passer du temps avec vous-même, tenez votre promesse !

Soyez au rendez-vous. Prévoyez régulièrement des moments avec vous-même et augmentez la durée et la fréquence au fil des jours. Si vous n'êtes pas habitué à être seul avec vous-même, ce temps peut vous paraître un peu désagréable au début, voire même ennuyeux. Mais tenez bon. Dans notre culture, se tourner vers l'intérieur peut sembler aussi difficile que de défier la loi de la gravité. Vous tentez de faire le contraire de ce que le monde vous pousse à faire. Si vous persévérez malgré la sensation de malaise, vous en viendrez à avoir hâte de passer du temps seul.

Votre relation avec vous-même est le secret d'une belle carrière, de relations aimantes, d'une joie profonde et d'une vie riche. Le point de départ, c'est vous. Si vous sentez que quelque chose vous manque dans *votre* vie, plongez dans votre intérieur et reprenez contact avec votre être merveilleux, rempli de sagesse.

PASSEZ À L'ACTION

Sortez votre agenda et préparez-vous à prendre des rendez-vous avec vous-même! Pour les six prochains mois, choisissez un bloc de temps chaque semaine et surlignez les dates. Lorsque vous vous réservez du temps à votre horaire, augmentez-le au fil des mois. Par exemple, si vous commencez avec une heure par semaine le premier mois, augmentez ce temps à une soirée ou une après-midi le deuxième mois.

Souvenez-vous qu'aussitôt que vous vous réservez ce temps pour vous, il est probable que quelqu'un fera fortement pression pour vous en faire dévier. Soyez fort! Bien que vous devrez parfois changer votre horaire, établissez une nouvelle norme qui honorera votre être intérieur en limitant les écarts.

RESSOURCES

**A Woman's Journey to God [Le chemi-
nement d'une femme vers Dieu],**
par Joan Borysenko
(New York : Riverhead Books, 2000)
Ce livre très bien écrit vous remettra en
contact avec votre vie spirituelle.

**The Creative Dreamer's Journal and
Workbook [Le journal et le livre de travail du rêveur créatif],**
par Veronica Tonay
(Berkeley, California : Celestial Arts, 1997)
Ce livre est moitié journal personnel,
moitié livre de travail. Il contient des exercices qui vous aideront à interpréter vos
rêves.

**I Could Do Anything If I Only Knew
What It Was: How to Discover What You
Really Want and How to Get It [Je pourrais faire n'importe quoi si seulement je
savais quoi faire : comment découvrir ce
que vous voulez réellement et comment
l'atteindre],**
par Barbara Sher, avec Barbara Smith
(New York : Delacorte Press, 1994)
Ce livre vous indiquera comment retrouver
les objectifs que vous avez perdus depuis
longtemps, vaincre les blocages qui vous
empêchent de réussir, décider de ce que
vous voulez être et réaliser vos rêves.

**The Whole Person Fertility Program [Le
programme de fertilité pour la personne
épanouie],**
par Niravi B. Payne, M.S., et Brenda Lane
Richardson
(New York : Three Rivers Press, 1998)
Bien que ce livre porte sur des questions
ayant trait à la fertilité, il présente des exercices très efficaces qui vous aideront à
mieux vous connaître, à identifier et
dépasser des blocages émotifs qui vous
empêchent de grandir, d'avoir accès à la
créativité, d'être en santé et de pouvoir
concevoir.

**Writing Your Authentic Self [L'écriture
qui mène à la découverte de soi],**
par Lois Guarino
(New York : Dell Books, 1999)
Ce livre vous indique comment, étape par
étape, écrire tous les types de journal, du
journal personnel à la chronique sur les
rêves.

Semaine 4

LE DÉFI

*Les pages que nous écrivons le matin nous donnent accès à l'autre
côté – au-delà de nos peurs, de notre négativité et de nos humeurs.
Avant tout, elle nous font cheminer au-delà de la censure – au-delà du
babillage que produit la censure, nous trouvons notre propre espace de
quiétude, l'espace où se manifeste la petite voix paisible qui est en
même temps celle de notre créateur et la nôtre.*

JULIA CAMERON

J e tiens un journal personnel depuis l'âge de treize ans et j'ai toujours trouvé que cette démarche était une grande source de réconfort et un outil qui m'aidait à me rebrancher avec moi-même.
Pendant des années, j'ai écrit mon journal de façon sporadique. Parfois,
des jours, des semaines et même des mois séparaient les entrées. À
d'autres moments, j'écrivais une page après l'autre, jour après jour.

Récemment, à la suite d'une promesse que j'ai faite à mon meilleur
ami, Max, j'ai décidé de renouveler mon engagement, celui d'écrire
à chaque matin, pour voir si la pratique influerait sur ma vie. Les
résultats ont été étonnants, et je veux en partager quelques-uns avec
vous dans l'espoir qu'ils pourront vous inciter à relever le défi qui est
présenté à la section « Passez à l'action », à la fin de ce chapitre. Mais
d'abord, les résultats…

Depuis que j'écris chaque jour, j'ai constaté que :

1. Je me sens profondément en contact avec mon âme et avec
    ce qui compte vraiment.

2. Mes journées sont constamment organisées en fonction de mes priorités ultimes.

3. La synchronisation produit des événements qui soutiennent ces priorités.

4. J'ai un sentiment de sécurité que nulle force extérieure n'a pu me donner.

5. Mes habitudes alimentaires se sont améliorées énormément.

6. Mes choix sont plus axés vers mon intérieur et je suis moins touchée par ce que les autres pensent.

7. J'accorde plus d'importance à passer du temps seule.

Dans le passé, lorsque j'ai entendu Julia Cameron, auteure du livre *Libérez votre créativité*, parler du pouvoir que conférait l'écriture des « pages du matin » (écrire chaque matin un minimum de trois pages à la main), j'étais convaincue que c'était là un exercice intéressant, mais je n'ai jamais pris l'engagement d'écrire trois pages à la main à *chaque* matin. Maintenant que je m'y suis engagée, ce rituel est devenu une partie importante de ma pratique spirituelle quotidienne et je constate que j'éprouve vraiment un *besoin* d'écrire.

Souvent, lorsque je suggère à mon public ou à mes clients de tenir un journal personnel, les gens ont beaucoup de questions. Habituellement, ces questions portent sur trois points.

1. *Quel est le meilleur moment pour écrire ?* Je recommande toujours d'écrire le matin puisque le matin est fort probablement le moment où vous entendez le mieux la voix de votre âme – votre sagesse intérieure – avant que vous ne vous lanciez dans votre journée débordante. Quand vous écrivez votre journal à la fin de la journée, votre esprit est rempli et vous passerez probablement plus de temps à raconter des événements plutôt que d'écrire ce que vous ressentez. S'il vous est difficile d'écrire le matin pour une raison quelconque, faites au moins l'effort d'écrire *un peu* avant de commencer votre journée, même si vous n'écrivez qu'une seule page.

2. *Que devrais-je écrire ?* Si vous constatez que vous avez de la difficulté à démarrer parce que vous ne savez pas trop quel sujet aborder, ne vous en faites pas. La plupart des questions qui m'ont été adressées concernent ce problème. Le secret est de commencer. Voyez votre pratique d'écriture quotidienne comme l'amorce d'une nouvelle relation. Parfois, lorsque vous rencontrez quelqu'un, vous ne savez pas quoi dire. Mais après un certain temps, les mots viennent. Pour vous aider à démarrer, essayez d'utiliser les débuts de phrases suivantes :

Ce matin, je me sens…

Je rêve toujours de…

Ma voix harcelante intérieure me dit toujours de…

Les pensées qui mijotent dans ma tête sont…

Mon âme aimerait tant…

Ce qui me fait le plus peur, c'est…

Ma voix critique intérieure me dit …

Ce dont je suis le plus reconnaissant, c'est…

Gardez votre crayon sur la page et écrivez les pensées qui vous viennent à l'esprit. C'est une question de pratique et de patience. Ce sera de plus en plus facile avec le temps. Lorsque vous êtes en panne d'inspiration et que vous ne pouvez rien écrire, écrivez sur le fait d'être en panne.

3. *Comment puis-je conserver ma motivation pour écrire ?* L'un des gestes les plus importants que j'aie posé et qui m'a permis de passer du « je n'aime pas écrire tous les jours » au « j'ai hâte d'écrire » a été de m'aménager un lieu d'écriture agréable. Choisissez une pièce (ou un coin dans une pièce) et faites ce qu'il faut pour en faire un endroit où vous aurez hâte de passer du temps. Par exemple, installez-y un fauteuil confortable et aménagez un bon éclairage. Ajouter quelques bougies, de l'encens, un secrétaire portatif ou peut-être votre couverture préférée. J'ai constaté qu'en créant un endroit sacré pour écrire, mon corps est naturellement attiré par le confort et la solitude que cet espace offre.

Si quelque chose arrive et que vous passez une journée, ne vous découragez pas. Levez-vous le lendemain et recommencez. Vous apprenez à connecter votre tête à votre cœur en écrivant sur ce que vous *ressentez*. Ce rituel quotidien vous aidera non seulement à avoir plus de contrôle sur vos actions, il créera aussi le type de synchronicité qui mène à une vie meilleure. Voyez-vous, lorsque vous êtes branché plus régulièrement à votre intérieur, vous avez tendance à agir plus souvent à partir de la sagesse qu'il possède. Cette démarche produit une synchronicité événementielle. Mais ne me croyez pas sur parole. Poursuivez votre lecture, passez à l'action et voyez ce qui se manifestera dans *votre* vie.

PASSEZ À L'ACTION

Choisissez une période de trente jours et engagez-vous à écrire à la main un minimum de trois pages tous les matins. Considérez ce temps comme sacré et voyez-le comme une occasion de vous brancher à votre sagesse intérieure – la partie sage en vous. Ne vous en faites pas sur ce que vous direz, sur la ponctuation, sur l'orthographe, sur le fait de paraître brillant ou ne vous demandez pas si vous pouvez remplir la page. Trouvez un endroit sûr pour ranger votre journal, un endroit où vous serez certain que nul ne le trouvera, et écrivez, tout simplement. Lorsque vous sentez que vous n'avez rien à dire, continuez à bouger votre main – vous pouvez être surpris de ce qu'il en résultera.

RESSOURCES

The Artist's Way [Libérez votre créativité],
par Julia Cameron et Mark Bryan
(New York : J.P. Tarcher, 1992)
Si vous désirez libérer et utiliser votre force créative, vous apprécierez énormément cette ressource.

Reflections on the Artist's Way [Réflexions sur la libération de la créativité],
une entrevue avec Julia Cameron, sur cassette audio
(Sounds True, novembre 1993)
Une entrevue passionnante avec Julia Cameron, qui nous invite à identifier ce que nous aimons et à nous consacrer au développement de notre créativité.

All About Me [Tout sur moi],
par Philipp Keel
(New York : Broadway Books, 1998)
Un livre unique avec des «espaces à remplir», cette ressource vous aidera à mieux vous connaître et à vous ouvrir davantage aux autres.

Michael Roger Press, Inc.
Middlesex, NJ 08846
www.bookbinders.com
Un grand choix de livres en blanc, avec ou sans lignes, de conception novatrice. Cette entreprise fabrique aussi des motifs et des matériaux de couverture sur mesure.

Running Rhino
B.P. 24843
Seattle, WA 98124
(206) 284-2868
www.runningrhino.com
Cette entreprise offre une très belle sélection de cahiers que vous pouvez voir sur Internet.

LE DON DU TEMPS

Le temps est une création de l'esprit. Dire « Je n'ai pas le temps »
est comme dire « Je ne veux pas… »

LAO-TSEU

J e suis toujours étonnée de constater combien de gens demandent : « Où va donc tout notre temps, et pourquoi sommes-nous
toujours à court de temps ? » Si vous êtes comme moi, vous vous
êtes probablement posé cette question. On dirait parfois que nos
minutes nous sont « volées » à notre insu, et que nous arrivons à la fin
de la semaine frustrés et pleins de regret.

En vérité, nous pouvons maîtiser ce que nous faisons de notre
temps. Le temps nous est offert en quantité limitée. Nous n'en disposons que d'une quantité bien précise : 168 heures par semaine,
cinquante-deux semaines par année, et cela si nous ne mourons pas
avant. Le temps est un don que la plupart d'entre nous tenons pour
acquis. Nous sommes tellement pris dans le tourbillon de la vie quotidienne que nous nous arrêtons rarement pour observer à fond la
manière dont nous disposons de ce don.

Quand, pour la dernière fois, vous êtes-vous arrêté pour examiner
à quoi vous passiez du temps et comment vous vous sentiez par rapport
à cela ? Combien de temps passez-vous réellement à travailler dans

une semaine? Combien de temps passez-vous à prendre soin des autres? Combien de temps passez-vous à vous occuper de vous?

La plupart d'entre nous passons une moyenne de cinquante-deux heures à travailler (et je suis généreuse) si l'on tient compte du temps passé sur les lieux de travail, le temps passé à se déplacer, à se préparer et à se faire du souci à propos du travail. Sans compter le temps passé à s'occuper des enfants, vingt-quatre heures sur vingt-quatre, pour ceux qui en ont! Si nous ajoutons une moyenne de cinquante heures par semaine passées à dormir, il ne nous reste que soixante-trois heures pour faire les courses, la cuisine et le lavage, pour faire de l'exercice, prendre soin de sa personne, s'amuser, rencontrer des amis, la famille, faire du bénévolat, et ainsi de suite. Pas étonnant que le temps semble nous manquer.

Lorsque vous vous rendez compte que vous êtes responsable de votre vie et que votre temps est limité, faire des choix devient plus important. Vous vous préoccupez davantage de savoir à quoi dire oui et à quoi dire non.

L'une des façons de décider à quoi consacrer son temps est de dresser une liste de ce que j'appelle les Priorités absolues. Il s'agit d'une liste des cinq principales priorités sur lesquelles vous devez absolument vous attarder au cours des trois à six prochains mois. Contrairement aux objectifs et aux rêves que vous avez, le premier endroit où vous devez concentrer votre temps et votre énergie lorsque vous cherchez à créer une base solide sur laquelle appuyer votre vie sont les choses dont vous devez vous occuper immédiatement. Par exemple, il y a peut-être une relation que vous avez négligée à cause d'un surplus de travail et dont vous devez vous occuper si vous voulez rétablir un lien harmonieux. Ou vous pourriez vous sentir à l'étroit financièrement ou encore être enseveli sous les dettes, et avoir besoin de vous concentrer sur un moyen d'améliorer votre situation financière de manière à pouvoir faire les choix qui seront en mesure d'augmenter votre qualité de vie.

Dresser une liste de Priorités absolues vous aidera à vous rappeler ces priorités, surtout au moment où la vie devient mouvementée et que vous avez l'impression de perdre du temps. En ayant cette liste à portée de la main, il est plus facile de concentrer son temps sur les choses les plus importantes. Ce faisant, vous identifiez du même coup les choses qui vous font gaspiller du temps. Après tout, une fois ces priorités bien établies, ce qui n'est pas prioritaire devient très clair aussi ! Alors, lorsque vous vous demandez où tout le temps peut bien passer, rappelez-vous ceci : si vous ne dites pas oui, ce ne sera pas inscrit à votre agenda.

PASSEZ À L'ACTION

Pour cette semaine, vous avez à dresser votre propre liste de Priorités absolues. Commencez par choisir un moment dans l'après-midi ou la soirée où vous pourrez disposer d'au moins une heure à vous sans interruption. Ayez votre journal personnel à portée de la main et faites en sorte de prendre ce temps pour vous installer confortablement et vous détendre.

Lorsque vous êtes bien détendu, posez-vous les deux questions suivantes, en vous accordant suffisamment de temps pour chacune :

À quoi dois-je accorder de l'attention à cette étape de ma vie ?

Qu'est-ce que je dois laisser tomber ?

Ne censurez pas vos réponses. Essayez plutôt de remarquer ce qui se passe lorsque vous vous penchez sur ces questions séparément, et noter vos réponses dans votre journal personnel. Si vous n'obtenez aucune réponse, ne vous en faites pas. Arrêtez tout simplement et examinez les différents aspects de votre vie : vos relations, votre famille, la collectivité autour de vous, votre travail, votre santé émotionnelle ou physique, votre situation financière, et ainsi de suite. Prenez note des éléments auxquels vous savez que vous devrez accorder de l'attention.

Lorsque vous avez terminé, choisissez les cinq réponses les plus importantes et triez-les par ordre de priorité. Ensuite, recopiez cette liste sur plusieurs fiches et intitulez-les « Ma liste de priorités absolues ». Déposez ces listes à divers endroits à la maison ou au travail. Par exemple, vous pourriez en placer une près du téléphone, une autre sur le miroir de la salle de bain, une près de l'ordinateur, et une autre encore sur le tableau de bord de votre voiture. En ayant cette liste à portée de la main, vous serez en mesure de vous rappeler ce qui compte vraiment, et cela pourra vous aider à oser dire non aux choses qui ne sont pas inscrites sur la liste.

L'exercice de dresser une liste de Priorités absolues (qui peut aussi servir à établir les priorités liées au travail) devrait être repris tous les trois à six mois, de manière à toujours disposer d'une liste à jour. Une fois vos priorités bien définies, tentez de dire non au moins deux fois par jour durant la prochaine semaine lorsqu'on vous sollicitera votre temps. Par exemple, si un collègue vous demande votre aide pour un projet, refusez poliment en faisant valoir que vous avez à terminer votre propre projet. Ou encore, si un ami vous appelle pour se plaindre d'une situation donnée, dites-lui qu'il a deux minutes pour se plaindre, après quoi vous voudrez savoir comment il entend donner suite à cette situation.

Apprendre à dire non avec délicatesse et amour fait partie des outils fondamentaux qui vous aideront à protéger le temps qui vous est donné. Si le fait de dire non est une chose difficile pour vous (comme c'est le cas pour la plupart des gens), voici trois conseils dont vous voudrez vous rappeler :

1. Vous pouvez toujours faire valoir votre propre bien-être.

2. Vous n'avez pas besoin de vous expliquer longuement ou de justifier vos gestes. Dites simplement la vérité telle qu'elle est.

3. Ce n'est pas parce qu'on n'éprouve aucune culpabilité ou aucune obligation qu'on n'agit pas avec amour.

Alors, la prochaine fois que quelqu'un vous demandera de faire quelque chose que vous préféreriez ne pas faire, répondez tout simplement en souriant que vous n'êtes pas disponible.

RESSOURCES

Time Shifting, Creating More Time for Your Life [Jouer avec le temps, ou créer plus de temps dans votre vie],
par Stephan Rechtschaffen
(New York, Doubleday, 1997)
Rechtschaffen enseigne au lecteur comment « jouer avec le temps », c'est-à-dire bouger en respectant le rythme des autres, étirer le temps présent, et être plus attentif aux autres.

Moms Network [Le réseau des mamans]
http://www.momsnetwork.com
Ce site fournit une somme considérable de ressources qui permettent aux mères qui travaillent et élèvent leurs enfants à la maison d'équilibrer leur vie à l'aide de listes de discussion, de forums, de renseignements et plus encore.

At-Home Dad Network [Le réseau des papas à la maison]
http://www.athomedad.com
Ce site propose un bulletin, un réseau et des ressources à l'intention des pères qui demeurent à la maison avec leurs enfants.

Your Heart's Desire : Instructions for Creating the Life You Really Want [Votre souhait le plus cher : Directives pour créer la vie que vous souhaitez vraiment]
par Sonia Choquette, Patrick Tully et Julia Cameron
(New York ; Crown, 1997)
Cet ouvrage propose un guide pratique qui vous aidera à déterminer les éléments suffisamment importants pour que vous leur accordiez du temps.

How to Say the Tough Stuff [Comment dire les choses difficiles]
(programme audio) par G. Lyn Allen
G. Lyn Allen
B.P. 8792
Shreveport, LA 71148
(318) 686-4551
http://www.lynallen.com
Programme de deux heures où sont présentées des techniques et de l'information destinées à vous aider à vous sentir mieux par rapport à l'importance de dire les choses difficiles immédiatement.

Tuesdays with Morrie [Les mardis avec Morrie],
par Mitch Albom
(New York : Doubleday, 1977)
Une façon inspirante et encourageante de se rappeler les choses vraiment importantes.

How to Say No Without Feeling Guilty : And Say Yes to More Time, More Joy, and What Matters Most to You [Comment dire non sans se sentir coupable : et dire oui à plus de temps, plus de joie et à ce qui importe vraiment pour vous]
par Patti Breiman et Connie Hatch
(New York : Doubleday, Broadway, 2000)
Le guide parfait pour apprendre à dire non.

QU'EST-CE QUI VOUS ÉPUISE ?

Il y a en chacun de nous un réservoir caché d'énergie.
De l'énergie que nous pouvons libérer pour jouer le grand jeu de la vie.
ROGER DAWSON

Dans mon livre *Prenez le temps de choisir votre vie*, j'ai consacré un chapitre à l'identification et à l'élimination des sources d'épuisement comme moyen de retrouver son énergie et son enthousiasme face à la vie. Éliminer les sources qui causent l'épuisement s'est révélé une approche très concluante. Il m'est souvent arrivé par le passé de suggérer à mes clients de concentrer leur travail uniquement sur cette idée pendant les trois à six premiers mois. En se débarrassant des éléments à la source de son épuisement, un client en arrivait à se libérer émotivement et physiquement, et cette libération faisait en sorte qu'il pouvait attirer dans sa vie de nouveaux éléments plus bénéfiques.

Par exemple, lorsque j'ai commencé à travailler avec Lisa, une comptable au sein d'une petite firme de comptabilité, celle-ci fut étonnée d'apprendre que ma stratégie en vue d'accroître sa clientèle (son principal objectif) était de faire le ménage dans les piles de dossiers qui jonchaient le sol de son bureau. Je savais par expérience — acquise durant mes années de conseillère fiscale —que les dossiers de ses clients éparpillés dans tout le bureau était une source d'épuisement, que ma cliente soit physiquement ou non assise à son bureau. Ces dossiers représentaient le travail inachevé dont il faudrait s'occuper un jour ou l'autre, et le seul fait de penser à tous ces dossiers provoquait immédiatement chez elle un sentiment de lourdeur.

Même si l'objectif de Lisa était d'augmenter le nombre de ses clients, ce poids supplémentaire avait en réalité pour effet de les éloigner. Lisa avait même avoué que chaque coup de téléphone la faisait reculer devant la perspective du travail qui viendrait éventuellement s'ajouter. Jusqu'à ce que Lisa puisse se libérer émotivement en complétant le travail inachevé, il y avait fort à parier que son état d'esprit ne lui permettrait pas d'accroître sa clientèle.

Lorsque Lisa s'est réservé du temps pour compléter et classer ces dossiers, de nouveaux clients ont commencé à se présenter à une cadence presque mécanique. Un jour, en particulier, après avoir accompli la dernière des tâches inscrites sur sa liste des choses à faire et rangé tous ses dossiers dans un classeur, elle reçut pas moins de trois appels de nouveaux clients au cours du même après-midi! Et parce que les piles de dossiers n'embarrassaient plus son bureau, elle se sentait plus apte à entreprendre de nouveaux dossiers. De plus, cette confiance a fait en sorte qu'elle dégageait un magnétisme beaucoup plus grand aux yeux des clients éventuels.

C'est incroyable ce que l'élimination des sources d'épuisement peut faire à notre état d'esprit. Vous rappelez-vous de la satisfaction que vous avez éprouvée lorsque vous avez finalement fait le ménage de votre garde-robe et que vous vous êtes débarassé des vieux vêtements que vous étiez sûr de ne plus jamais porter? Ou lorsque vous avez finalement payé les factures que vous tentiez d'oublier dans votre chemise «comptes à payer»? Lorsque nous nous décidons à affronter ces sources d'épuisement et à nous en débarrasser, particulièrement celles qui créent de l'anxiété et du stress, nous libérons une énorme quantité d'énergie que nous pouvons utiliser à des choses plus intéressantes.

Même si éliminer les sources d'épuisement veut dire accorder de l'importance à clarifier son espace, à s'organiser ou à s'occuper des petits soucis de la vie quotidienne (une question dont nous traiterons dans les chapitres suivants), cette semaine, je vous demande de vous concentrer sur l'identification et l'élimination des sources d'épuisement qui ont une connotation émotive — le genre d'épuisement qui cause chez vous une certaine détresse, de l'anxiété ou l'impression de porter un fardeau trop lourd. Ces sources d'épuisement sont un trop lourd tribut à payer.

Afin d'identifier les sources d'épuisement qui peuvent entrer dans cette catégorie, demandez-vous ce qui suit :

- Y a-t-il un appel téléphonique que je dois faire ou une conversation que je dois avoir et que j'évite continuellement ?

- Ai-je dit oui à un engagement que je regrette aujourd'hui ?

- Suis-je engagé dans un projet qui ne m'intéresse plus ?

- Y a-t-il une chose que je fais dont je sais qu'elle devrait être confiée à quelqu'un d'autre ?

- Est-ce que je poursuis un objectif qui n'a plus de sens pour moi aujourd'hui ?

- Y a-t-il une chose à laquelle je suis attaché à la maison ou au bureau et qui représente une époque difficile de ma vie ou qui continue de me rattacher au passé ?

- Suis-je seul à prendre soin d'un enfant malade ou d'un parent âgé ?

Les réponses à ces questions pourraient indiquer qu'il s'agit d'importantes sources d'épuisement dont vous devrez vous occuper. Par exemple, lorsque vous continuez d'opérer un commerce qui ne rapporte pas, peu importe ce que vous faites, l'effort que vous y mettez draine votre énergie. Lorsque vous conservez des dossiers contenant des documents de divorce, de vieux rapports financiers, des cartes de souhait d'anciens amoureux, ou des travaux d'étudiant vous rappelant la carrière que vous n'avez pas choisie, tous ces éléments peuvent vous river au passé et peuvent de fait vous empêcher de passer à autre chose. Et lorsque vous êtes aux prises avec les sources d'épuisement les plus difficiles qui soient sur le plan émotionnel, c'est-à-dire s'occuper d'un enfant malade ou d'un parent âgé, tenter de le faire seul vous drainera de l'énergie dont vous avez besoin pour être présent à ceux que vous aimez.

Lorsque vous laissez finalement aller le passé ou que vous vous occupez des éléments qui représentent pour vous des sources d'anxiété, ce geste seul peut avoir un immense impact positif sur votre vie. Par exemple, en libérant votre énergie et en éliminant votre anxiété, vous devenez plus productif et efficace au travail. Ou vos relations se solidifient parce que vous pouvez être présent aux autres. Et non seulement vous sentez-vous mieux, mais vous créez aussi de l'espace au niveau mental et physique qui vous permet de vivre éventuellement de merveilleuses expériences, comme l'éclosion d'une nouvelle amitié ou d'un nouvel amour, un nouveau travail, ou même une meilleure situation financière.

Maintenant que vous pouvez constater le prix à payer qu'entraîne ce genre de sources d'épuisement et les avantages qu'il y a à s'en occuper, il est temps de passer à l'action!

PASSEZ À L'ACTION

Cette semaine, nous nous préoccuperons surtout d'éliminer certaines des sources d'épuisement qui vous affectent physiquement et émotionnellement. Appliquez le processus en quatre étapes présenté plus bas, et libérez-vous des attaches émotionnelles qui vous retiennent!

1. Observez votre environnement et décelez-y cinq sources d'épuisement reliées à un facteur émotionnel. Observez les objets à la maison ou au bureau, ou des relations susceptibles de drainer votre énergie, ou encore des problèmes liés au travail dont vous devriez vous occuper.

2. Prévoyez du temps à votre horaire pour vous occuper de ces questions.

3. Dans votre préparation, assurez-vous d'obtenir du soutien lorsque vous traiterez d'éléments auxquels vous préféreriez ne pas toucher. Par exemple, si le fait de trier de vieux dossiers du passé vous rend nerveux ou vous dérange, demandez à un

ami d'être près de vous lorsque vous procéderez au grand ménage.

4. Divisez les tâches en courtes étapes et mettez-vous au travail.

5. Récompensez-vous. Lorsque vous terminez une tâche, faites quelque chose que vous aimez pour vous récompenser et vous motiver à continuer le processus.

Les cinq sources d'épuisement liées à un facteur émotionnel sont :

1. _____

2. _____

3. _____

4. _____

5. _____

Je prévois m'occuper de ces questions le _____ à _____.

La personne qui peut me soutenir pour ce projet est :

_____

Lorsque j'ai terminé une tâche, je me récompense en faisant ceci :

_____

RESSOURCES

Energy Anatomy [Anatomie de l'énergie]
par Caroline Myss
(programme de six cassettes audio)
Sounds True
413 avenue Arthur Sud
Louisville, CO 80027
(800) 333-9185
Une merveilleuse ressource pour comprendre une autre facette de l'utilisation de l'énergie vitale.

Creating Sacred Space with Feng Sui : Learn the Art of Space Clearing and Bring New Energy into Your Life [Créer un espace sacré à l'aide du Feng Shui : pour apprendre l'art de la libération de l'espace et apporter une nouvelle énergie dans votre vie]
par Karen Kingston
(New York : Broadway Books, 1997)
Ce livre donne des techniques simples et efficaces pour créer l'harmonie et l'abondance en libérant et en équilibrant l'énergie qui circule à la maison et au travail, et explique le rapport entre le sentiment de paix intérieure et les immeubles dans lesquels nous vivons.

David Allen & Co.
B.P. 27705
Raleigh, NC 27611
(805) 646-8432
www.davidallenonline.com
Le site de David contient de l'information très intéressante sur la manière de s'organiser et de travailler plus efficacement.

Sacred Space : Clearing and Enhancing the Energy of Your Home [L'espace sacré : libérer et améliorer l'énergie de votre maison],
par Denise Linn
(New York : Ballantine Books, January 1996)
Un grand favori de tous les temps parmi les ouvrages sur la création d'un espace sacré.

Semaine 7

LA MAGIE DE LA GRÂCE

L'univers invisible offre à chaque instant des pistes à celui qui cherche.
Les gens ordinaires appellent cela des coïncidences.

DEEPAK CHOPRA

Cette semaine, nous traitons de la motivation, c'est-à-dire du carburant qui vous inspirera à passer à l'action de manière continue pour créer la vie que vous voulez. À mon avis, trois choses pourront vous aider à demeurer sur cette voie de la reprise en main de votre vie : la présence d'un partenaire, des résultats encourageants, et la magie de la grâce.

À l'aube de votre périple, le soutien d'un partenaire enthousiaste à l'idée d'apporter des changements positifs à sa propre vie vous aidera tous deux à demeurer actifs. Rappelez-vous que l'action crée le changement. Il est temps de cesser de réfléchir aux changements que vous voulez faire et de commencer à faire quelque chose pour les mettre en œuvre! Le partenaire le mieux placé pour vous accompagner est certainement un conseiller formé et expérimenté; toutefois, si vous n'avez pas encore les moyens de faire appel aux services d'un conseiller, faites en sorte que cette démarche soit un jeu et demandez à un ami, à un collègue de travail, ou à un membre de votre famille de jouer avec vous. Encore mieux, rassemblez un groupe d'amis, de collègues de travail ou des membres de votre famille et amorcez la démarche tous ensemble. Puis, au fur et à mesure que vous posez des gestes et que vous commencez à récolter les fruits de vos efforts, l'enthousiasme, le soulagement et l'énergie renouvelée que vous ressentirez vous motiveront aussi à continuer à progresser sur la voie de la reprise en main de votre vie. Ces deux ingrédients sont d'importantes sources de motivation.

Le facteur le plus motivant de tous est cependant l'intervention divine, ou ce que je me plais à nommer la magie de la grâce. Au fur et à mesure que vous poserez des gestes et que vous opérerez des changements dans votre vie, vous vous rendrez probablement compte que des coïncidences commenceront à se produire tout autour de vous. Par exemple, vous pourriez soudainement recevoir par le courrier une publicité quelconque qui vous incitera à prendre une importante décision. Ou vous pourriez converser avec un ami et entendre exactement le conseil dont vous aviez besoin pour vous aider à résoudre un problème. Cette synchronicité des événements est le résultat direct des efforts que vous faites pour changer votre vie et des stratégies que vous avez adoptées pour bien prendre soin de vous.

L'expérience m'a montré que lorsque nous prenons soin de nous comme s'il s'agissait d'un trésor inestimable, une force divine vient soutenir nos efforts. J'ai pu voir ce phénomène à l'œuvre tant de fois dans ma pratique privée (et dans ma propre vie) que j'en suis venue à le considérer comme faisant tout naturellement partie du périple. Lorsque vous posez des gestes qui honorent le Soi en vous, tels qu'entreprendre un journal personnel, demander une augmentation de salaire bien méritée, ou dire non aux demandes non-sollicitées de votre temps, un nouvel ordre d'une dimension plus élevée s'installe dans votre vie. Et le plus intéressant de tout cela est que vous n'avez pas à croire en la magie de la grâce pour en récolter les bienfaits. Vous n'avez qu'à prendre bien soin de vous et attendre que se produisent les miracles ; ils deviendront une source toute spéciale de motivation tout au long de votre périple.

PASSEZ À L'ACTION

Durant cette semaine, portez une attention particulière aux coïncidences qui se produisent dans votre vie lorsque vous accordez une plus grande priorité à prendre soin de vous-même. Remarquez les moments où quelque chose se passe et vient vous faciliter la vie, lorsqu'une chose dont vous aviez besoin se présente comme par magie, ou lorsque vous êtes l'objet d'un acte de bonté de la part d'un étranger. Mettez par écrit ces miracles, petits ou grands, dans votre journal personnel. En les écrivant, vous en viendrez à croire en cette magie de la grâce et vous commencerez à vous attendre à ces miracles dans votre vie aussi !

RESSOURCES

POUR TROUVER UN CONSEILLER :

Coach University [Université des conseillers]
B.P. 881595
Steamboat Springs, CO 80488
(800) 48-COACH
http://www.coachu.com
Cet organisme forme des conseillers et offre un service de références pour ceux qui sont à la recherche d'un conseiller.

International Coach Federation [Fédération internationale des conseillers]
1444, 1ère Rue Nord-Ouest, bureau 700
Washington, DC 20005
(888) 423-3131
http://www.coachfederation.org
La plus grande organisation professionnelle à but non lucratif de conseillers personnels et d'entreprises fournissant un service de référence en ligne.

Inspire [Inspiration]
www.infoadvn.com/inspire/
Pour trouver l'inspiration chaque jour, vous voudrez peut-être vous abonner au bulletin « Inspire » diffusé quotidiennement.

Sark's *Magic Museletter* [Le bulletin magique et inspirant du Sark]
www.campsark.com/museletter
(415) 546-3752 (boîte vocale de la « Ligne d'inspiration » du SARK)
Publication trimestrielle. Le coût de l'abonnement est de 23 $, 19,50 $ pour les artistes sans le sou et les enfants de 12 ans et moins. Plaisir et aventure sont au rendez-vous dans ce bulletin du SARK où se côtoient œuvres d'art colorées, rêves et trésors d'imagination.

Semaine 8

À QUOI
CARBUREZ-VOUS ?

Il est difficile de vivre dans l'instant présent,
ridicule de vivre dans le futur, et impossible de vivre dans le passé.
Rien n'est plus éloigné que la minute précédente.

JIM BISHOP

« Surcharge d'information ». C'est ce que la plupart des gens disent lorsqu'ils veulent décrire à quel point ils se sentent dépassés par le style de vie imposé par notre société moderne hyper-technologique. Même si « surcharge d'information » pourrait vouloir dire que les gens se sentent écrasés par le poids d'énormes quantités de papier, ce que j'entends de la part de mes clients et du public auquel je m'adresse est qu'il s'agit de bien plus que cela. Les gens se sentent avalés dans le tourbillon d'une culture qui valorise la capacité de répondre rapidement, de savoir épargner du temps, de modifier les choses et d'innover dans l'espace d'une fraction de seconde. La sensation oppressante qu'il faut rattraper le temps perdu, se tenir à jour, et devancer le courant. Trop souvent nous nous sentons comme si nous fonctionnions continuellement à plein régime.

Nous vivons à un rythme de plus en plus rapide et cela contribue à fabriquer une société souffrant davantage d'une surcharge d'adrénaline que d'une surcharge d'information. Lorsque nous utilisons l'adrénaline comme principale source d'énergie, notre système surrénalien, le mécanisme conçu pour nous avertir du danger et nous permettre de fuir ou d'affronter une situation potentiellement dangereuse, n'a jamais l'occasion de se reposer. Il est intéressant de remarquer le symbolisme de cette réaction et de l'appliquer à notre société actuelle. Plus les outils technologiques se perfectionnent et plus le rythme de la société augmente, plus il semble que notre «soi intérieur vulnérable» réponde à ce qu'il croit être une situation dangereuse en demeurant continuellement aux aguets. Cet état d'hypervigilance qui nous incite à réagir en fuyant ou en combattant l'adversaire fait en sorte qu'il nous est difficile, à un certain moment, de ralentir la cadence. La technologie, qui devait supposément nous faciliter la vie, nous a en réalité complètement épuisés.

La technologie est à la fois un bienfait et une calamité. D'un côté, elle est merveilleuse, car elle permet de préparer un repas en quelques minutes grâce au four à micro-ondes, ou de communiquer instantanément avec une personne à l'autre bout du monde. Là où la technologie nous cause des problèmes, c'est lorsque nous nous rendons compte que les gens ont plus que jamais la possibilité de solliciter notre attention et notre temps. Par exemple, chaque fois que quelqu'un laisse un message dans votre boîte vocale, c'est une chose de plus à faire sur votre liste déjà pleine. De la même façon, le fait que l'on vous demande de vous servir d'un téléphone cellulaire ou d'un téléavertisseur dans le cadre de votre travail fait en sorte que tout le monde peut vous joindre où que vous soyez ou presque. Et depuis l'avènement du courrier électronique, les choses n'ont fait que se détériorer considérablement. Dans un récent article paru dans *Fast Company*, on rapportait qu'aux États-Unis, l'employé de bureau moyen recevait plus de cinquante appels par jour, trente-cinq messages de courrier électronique, et plus de vingt messages de boîte vocale, sans parler des notes interservice, des télécopies et des lettres envoyées par le courrier ordinaire! Pas étonnant que nous soyons brûlés!

En plus d'être au service de tout un chacun, il semble parfois que notre corps commence littéralement à s'adapter à la vitesse des ordinateurs. Vous rappelez-vous de la dernière fois où vous avez mis à jour le système de votre ordinateur ou augmenté la vitesse d'accès à Internet? En combien de temps vous êtes-vous habitué à la nouvelle vitesse, pour souhaiter qu'elle soit plus rapide encore ? Il ne faut pas s'étonner si nous ne sommes pas capables de ralentir.

Certains signes ou comportements peuvent nous indiquer si nous carburons ou non à l'adrénaline. Par exemple, si vous voyez que vous ne pouvez vous empêcher de vérifier plusieurs fois par jour le contenu de votre boîte vocale ou de votre courrier électronique et que vous vous sentez oppressé ou nerveux chaque fois que vous le faites, c'est le signe que vous carburez à l'adrénaline. Lorsque vous avez finalement ménagé un peu de temps pour vous et que vous vous sentez tellement agité que vous finissez par faire le ménage d'un placard ou par terminer une tâche laissée de côté, il y a de fortes probabilités que l'adrénaline vous empêche de ralentir et de vous reposer. Ou lorsque vous vous réveillez au milieu de la nuit la tête pleine de pensées, incapable de dormir, ou lorsque vous vous sentez si distrait durant la journée que vous ne pouvez pas vous concentrer suffisamment pour accomplir votre travail, cela pourrait bien être le signe que l'adrénaline est devenue votre principale source d'énergie.

Alors, comment fait-on pour retrouver son énergie et commencer à utiliser un carburant plus sain ? Voici certains éléments qui vous permettront de réduire votre dépendance à l'adrénaline et de préserver votre santé et votre bien-être.

1. *Faites-vous examiner.* Si vous sentez physiquement qu'il vous est impossible de ralentir, vous voudrez peut-être faire examiner votre système surrénalien pour vérifier si oui ou non vous avez besoin de soins médicaux pour vous aider à vous rétablir. Cela est important. J'ai vu trop de gens ne pas pouvoir appliquer des techniques de relaxation ou de méditation parce que leur organisme nécessitait un apport de suppléments. Consultez votre médecin et demandez-lui de vous faire passer un test qui vérifie le niveau de stress du système surrénalien — un simple test de salive pris tout au long d'une seule journée.

2. *Fixez-vous des moments de repos.* Que vous prévoyiez des pauses de relaxation de quinze minutes au cours de la journée ou que vous prévoyiez des périodes plus longues de repos, il est important de commencer à prévoir du temps pour vous exercer à rester sans rien faire.

3. *Changez vos habitudes de travail.* Au lieu de vérifier votre boîte vocale ou votre courrier électronique plusieurs fois par jour, faites le pari de réduire ce nombre à une ou deux fois par jour. Faites le ménage de votre bureau et ne travaillez que sur une seule chose à la fois. Fermez la sonnerie du téléphone. Avisez vos collègues de travail que vous avez décidé de prolonger le temps de réponse à vos messages. Au lieu de répondre à vos messages dans un délai d'une journée, répondez-y dans un délai d'une semaine. Au début, ces attitudes pourront vous sembler inconfortables ou désorientantes, mais tenez bon. En peu de temps, vous serez stupéfait de constater combien vous êtes beaucoup plus détendu et centré. Si vous craignez que ces attitudes ne fassent qu'accroître votre charge de travail, rappelez-vous ceci : lorsqu'il y a tant de travail que vous ne pensez qu'à fuir et vous cacher, c'est qu'il est temps de demander de l'aide. Peu importe que vous embauchiez un adjoint, demandiez du soutien à votre patron ou décidiez de laisser carrément tomber certains aspects de votre travail, quand c'est trop, c'est trop.

4. *Respirer profondément.* Lorsque que nous carburons à l'adrénaline, nous avons tendance à respirer superficiellement. Nous prenons de courtes respirations rapides dans le haut de la cage thoracique et ce faisant, nous privons notre organisme de l'oxygène dont nous avons tant besoin. Ce manque d'oxygène peut favoriser certains malaises tels une mauvaise circulation dans les mains, une tension artérielle élevée ou des symptômes d'anxiété. Commencez par vous accorder des mini-pauses pour prendre soin de vous durant la journée. Respirez d'abord profondément en vous servant de votre diaphragme. Placez votre main sur votre bas-ventre et, pendant que vous respirez, sentez cette région se gonfler et se dégonfler. Pour vous aider à vous rappeler de respirer profondément, associez cet exercice à des actions quotidiennes. Par exemple, vous pouvez vous exercer à respirer profondément pendant que vous conduisez ou à certaines périodes de la journée. Vous pourriez prendre quelques bonnes respirations profondes au moment de vous asseoir à votre bureau au tout début de la journée, avant l'heure du lunch, puis juste avant de quitter le bureau pour la maison. Faites-le de plus en plus souvent et vous verrez qu'avec le temps, vous améliorerez l'état de tout votre système nerveux.

5. *Prenez une capsule de multivitamines de bonne qualité* afin de bien soutenir votre système immunitaire.

6. *Abandonnez la caféine.* Bon nombre de mes clients ont été stupéfaits de constater l'énergie retrouvée *depuis* qu'ils ont cessé de consommer de la caféine. Même si votre café du matin ou votre boisson gazeuse du midi vous donne un regain d'énergie, tous deux à la longue épuisent votre système surrénalien et, en fait, vous privent d'énergie. Profitez-en pour réduire aussi votre consommation de sucre et d'aliments-minute !

7. *Faites de l'exercice régulièrement.* Marcher d'un pas rapide est l'un des meilleurs exercices pour réduire le stress et rétablir l'état de santé de votre système surrénalien. Commencez en marchant jusqu'à votre lieu de travail, en montant les escaliers, en profitant de votre heure de lunch pour faire bouger votre corps. De nombreux clients ont constaté que lorsqu'ils associaient l'exercice à la réduction de stress plutôt qu'à la perte de poids, ils ne se décourageaient pas et avaient le réflexe de se lever et de bouger pour dépenser le trop-plein d'énergie lorsqu'ils se sentaient nerveux ou trop stimulés.

Le rythme effréné de notre société ne fera que s'accentuer avec le temps. Vous aurez donc à vous motiver à prendre soin de vous encore plus qu'avant. Sachez tirer profit de l'ère de l'information au lieu de lutter contre ses effets, en adoptant de nouvelles attitudes qui réduisent votre dépendance envers l'adrénaline, de manière à préserver votre santé physique, psychique et spirituelle.

PASSEZ À L'ACTION

Prenez davantage conscience des habitudes et des comportements qui vous maintiennent dépendant de l'adrénaline. Êtes-vous un grand buveur de café ? Passez-vous trop de temps devant votre ordinateur ? Vous précipitez-vous d'un rendez-vous à l'autre ou d'une tâche à l'autre ?

Cette semaine, choisissez l'une des habitudes saines proposées plus haut et appliquez-la religieusement pendant toute la semaine.

Ce sont de petits pas qui vous mèneront loin. Et rappelez-vous : avec le temps, chaque petit changement fera une grande différence dans votre capacité à ralentir votre cadence et à obtenir une qualité de vie supérieure.

Les trois habitudes qui maintiennent ma dépendance à l'adrénaline sont :

1. _____

2. _____

3. _____

L'habitude saine que je mettrai en pratique cette semaine est :

_____

RESSOURCES

Glenn S. Rothfeld, M.D., M.Ac.
Directeur médical
Whole Health New England, Inc.
180, av. Massachusetts,
bureau 303
Arlington, MA 02474
Téléphone : (781)641-1901
Le Dr Rothfeld propose un test permettant d'évaluer «l'indice de stress surrénalien» et donne des consultations téléphoniques.

Adrenaline and Stress : The Exciting New Breakthrough That Helps You Overcome Stress Damage [L'adrénaline et le stress : une nouvelle et passionnante découverte qui vous aidera à vous rétablir des dommages causés par le stress]
par le Dr Archibald D. Hart
(Waco, Texas : World Books, 1995)
Un trop grand stress peut entraîner une trop grande production d'adrénaline, ce qui peut causer du tort à l'organisme. Le

Dr Hart a découvert le lien caché entre l'adrénaline et le stress et montre comment gérer les niveaux d'adrénaline et prévenir les maladies liées au stress, qu'elles soient d'ordre physique, psychique ou spirituel.

8 Weeks to Optimum Health [Retrouvez une santé optimale en 8 semaines]
par Andrew Weil
(New York : Fawcett Books, 1998)
Dans ce livre, le Dr Weil propose d'excellentes techniques de respiration et des ressources pour retrouver la santé.

Semaine 9

LA PUISSANCE DE LA CONCENTRATION

Lorsque vous demeurez bien centré et que vous respectez
un engagement, vous créez un mouvement dynamique,
et ce mouvement entraîne le mouvement.

RICH FETTKE

Il arrive parfois que les gestes que nous posons dans la vie nous apportent non seulement du succès, mais aussi nous enseignent de nouvelles et importantes leçons de vie. Par exemple, le fait d'avoir un enfant nous enseigne à être plus patient. Ou entreprendre une nouvelle carrière nous permet de renforcer notre courage.

En écrivant mon premier livre, j'ai appris à concentrer mon énergie sur un seul objectif à la fois. Pour pouvoir respecter chacune des échéances fixées et me laisser aller librement dans mon mouvement créateur, j'ai appris à consacrer mon temps et mon attention à ce qui était important. Malgré la peur et la frustration que cela a causé, j'ai dû continuellement dire non à des choses que je voulais vraiment faire, laisser passer des occasions qui semblaient prometteuses, et inlassablement me remettre sur la voie que je m'étais fixée.

J'ai appris une importante leçon : le secret de la réussite se trouve dans la puissance d'une concentration disciplinée. Se concentrer signifie ramener son attention au centre, concentrer son attention sur une seule chose avec détermination, de manière à laisser place à plus de clarté. En apprenant à demeurer centré sur un seul projet, un seul objectif ou une seule occasion à la fois, non seulement vous deviendrez plus productif et plus efficace, mais vous vous donnerez l'occasion d'explorer plus profondément l'activité que vous avez choisie et d'y apporter une dimension plus créative tout en respectant votre sagesse intérieure.

Nous tentons trop souvent de « faire feu de tout bois », de répondre à toutes les occasions qui nous sont offertes, ou de répondre aux moindres besoins de chacun, dans l'espoir de réussir. Mais en réalité, une réussite durable est souvent le résultat de la capacité à demeurer centré sur un seul projet ou un seul objectif à la fois.

Vous avez peut-être de la difficulté à vous concentrer. Pour le savoir, répondez aux questions suivantes :

1. Avez-vous tellement de nouvelles idées en tête que vous ne réussissez jamais à en mettre une en pratique ?

2. Êtes-vous facilement distrait pendant la journée et sentez-vous que vous ne réussissez jamais à terminer quelque chose ?

3. Votre carte ou brochure professionnelle énumère-t-elle tant de produits et services que vos clients éventuels ont de la difficulté à saisir ce que vous faites ?

Nous sommes des êtres créateurs. Il est normal que nos intérêts se portent sur plusieurs choses à la fois et que nous voulions nous engager sur plusieurs voies en même temps. Mais rappelez-vous que lorsque vous employez votre énergie à œuvrer dans plusieurs voies, vous réduisez la puissance que l'une de ces voies peut offrir. Y a-t-il un projet ou un objectif auquel vous devriez accorder toute votre attention ?

PASSEZ À L'ACTION

Au cours de la prochaine semaine, choisissez un projet ou un objectif et consacrez-y votre énergie chaque jour. Sélectionnez un moment à l'avance, notez-le dans votre agenda, et faites le pari de respecter cet engagement. Vous pourriez décider d'utiliser ce temps personnel pour prendre soin de vous, écrire un article, ou vous occuper du marketing de votre entreprise. Refermez tout simplement la porte derrière vous, fermez la sonnerie du téléphone, affichez un panneau indiquant «NE PAS DÉRANGER», ou faites tout ce que bon vous semblera pour maintenir votre attention et votre action centrées sur la chose importante.

Chaque fois que vous serez tenté de faire autre chose (et vous le serez), ramenez votre attention au moment présent. Lorsque votre esprit commence à s'évader, rappelez-vous de demeurer centré en utilisant un mantra simple tel que : «Je termine mon travail». Ce mantra pourra vous aider à développer votre «habileté physique» à vous concentrer. Une fois que vous aurez plus de facilité à vous concentrer, vous noterez que vous serez non seulement moins tenté par les distractions, mais aussi que vous vous engagerez avec plus de joie dans le processus créatif.

Cette semaine, je concentre mon attention sur :

_____

RESSOURCES

The Power of Focus : A Guide to Clarity and Achievement *[La puissance de la concentration :* un guide vers la clarté et la réalisation des objectifs*]*
par Rich Fettke
(série d'enregistrements sur cassettes)
Pour commander :
http://www.FETTKE.com
1630, rue Main nord
bureau 352
Walnut Creek, CA 94596
(800) 200-COACH (2622)
Une série de deux cassettes inspirantes qui vous aideront à développer la concentration nécessaire à la création d'une vie plus réussie et de qualité supérieure.

Focus Your Energy [Concentrez votre énergie]
par Thom Hartmann
(New York : Pocket Books, 1994)
Ce livre est épuisé, mais il est si utile que je recommande de vous le procurer à la bibliothèque ou auprès d'une librairie de livres usagés (les commandes en ligne sont également possibles). Même si ce livre s'adresse d'abord aux personnes souffrant de TDA en milieu de travail, il s'agit d'une excellente ressource pour tous ceux qui veulent apprendre à concentrer leur énergie de manière plus productive.

The Power of Focus [La puissance de la concentration]
par Jack Canfield, Les Hewitt, Mark Victor Hansen
(Health Communications, 2000)
Ce livre permet de connaître les dix « stratégies de concentration » mises en œuvre par les auteurs pour la publication de leurs premiers livres et le développement de leur réussite. Ces stratégies comprennent notamment de nouveaux articles et des anecdotes personnelles qui montrent l'importance d'acquérir des habitudes orientées vers le succès, d'instaurer un équilibre, et de conserver une confiance en soi.

The Focusing Institute [L'institut de focalisation]
34, Lane est
Spring Valley, NY 10977
(914) 362-5222
courrier électronique : *info@focusing.org*
Le Focusing Institute est une organisation à but non lucratif qui recueille des ressources sur la focalisation et les met à la disposition des milieux scolaires et professionnels et du public en général. Les informations fournies ont comme base la psychothérapie de focalisation, laquelle enseigne aux clients à diriger leur regard vers l'intérieur et à apprendre à poser des gestes à partir d'une focalisation sur l'être intérieur.

CESSEZ DE JONGLER ET ENTREZ DANS LA VIE

*Se plier à toutes les règles,
c'est passer à côté de tout le plaisir.*
KATHARINE HEPBURN

Je passe beaucoup de temps à donner des conférences, m'adressant à des gens d'affaires sur des sujets traitant de l'équilibre entre le travail et la vie personnelle. J'ai eu l'occasion d'entendre quels étaient les défis que devaient relever les employés aussi bien que les propriétaires d'entreprises, qui travaillent dur à leur réussite, souvent au détriment de leur vie personnelle.

À mon avis, lorsqu'il est question d'équilibre entre le travail et la vie personnelle, il y a le bon et le moins bon côté des choses. Le bon côté est que les entreprises commencent à observer que le manque d'équilibre à cet égard nuit à la performance et à l'efficacité au travail. Par ailleurs, les gens en ont assez d'avoir à choisir entre les deux. Le moins bon côté des choses est qu'il ne s'agit que d'un début, et beaucoup de gens vaillants et brillants continuent de souffrir en silence, tentant tant bien que mal de jongler avec toutes les balles sans les faire tomber.

Au risque de paraître alarmiste, il est important de se rappeler que lorsque nous faisons passer les besoins de notre entreprise avant notre vie personnelle, c'est notre vie que nous mettons en jeu. Non seulement mettons-nous en péril notre santé émotionnelle et physique, mais nous mettons également à risque nos relations avec nos proches. Et, bien entendu, nous détériorons la relation la plus importante de toutes, notre relation avec nous-même.

Une blague qui date de longtemps déjà dit ceci : « Je n'ai jamais entendu quelqu'un lire un curriculum vitae à un enterrement. » C'est une phrase amusante qui me revient constamment à la mémoire, car elle me ramène à une compréhension importante. Il est peu probable que votre patron soit à votre chevet lors de vos derniers instants, vous remerciant de tout le travail que vous avez fait ou des vacances que vous n'avez jamais prises. Ou que des clients parlent de vous en disant combien vous avez été merveilleux de laisser tomber toutes ces réunions de famille, préférant répondre à leurs besoins. La seule chose qui comptera à la fin de vos jours sera de savoir à quel point vous avez aimé les autres et à quel point ils vous auront aimé, et quel genre d'héritage vous aurez laissé derrière vous. La personne la plus importante à laquelle vous devez rendre des comptes, c'est vous.

Il y a un lien entre notre bonheur personnel et la capacité de réussir au travail. Par exemple, lorsque nous négligeons notre santé, nous devenons malades et sommes forcés de prendre congé. Lorsque nous éprouvons des difficultés dans nos relations ou que nous les négligeons, nous nous faisons du souci pour nos proches et devenons beaucoup moins efficaces au travail. Et lorsque nous nous sentons débordés et distraits par une trop grande quantité de travail, nous augmentons le risque de faire des erreurs. Ce ne sont que quelques exemples qui illustrent en quoi négliger nos besoins personnels peut avoir un impact négatif sur notre travail.

Je pourrais mettre l'accent cette semaine sur l'importance de déléguer davantage, de gérer votre temps plus efficacement, ou d'établir clairement vos priorités pour favoriser un meilleur équilibre. Toutefois, il est clair qu'en faisant cela, nous ne traiterions que les symptômes du problème et non sa source. Traiter la source est un travail qui vient de l'intérieur.

Pour devenir plus productif et efficace au travail et *en même temps* avoir une vie personnelle profondément satisfaisante, vous devrez cesser de jongler et laisser tomber quelques balles. Voici quelques-unes des balles que je vous recommande de laisser tomber d'abord :

Tenter de plaire à tout le monde

Vouloir que tout le monde vous aime

Tenter d'être une vedette au détriment de votre vie

Tenter de tout faire à la perfection

Tenter de tout faire

Votre dépendance à l'adrénaline

Je peux déjà entendre certains d'entre vous dire : «Vous pouvez bien parler, vous, mais moi, j'ai un patron à qui je dois rendre des comptes», ou «Je ne peux pas me permettre de laisser tomber des balles, j'ai une famille à nourrir». Mais nous savons tous maintenant que travailler comme des fous n'est pas une façon de vivre. Commencez douce-ment et laissez le changement se faire d'abord à l'intérieur de vous. Acceptez d'enfreindre certaines règles pour pouvoir reprendre votre vie en main. À mesure que vous modifierez vos comportements, non seulement serez-vous plus efficace au travail, mais vous deviendrez un exemple influent pour les autres, le genre d'exemple qui est le pro-pre des leaders.

PASSEZ À L'ACTION

Cette semaine, pendant que vous réfléchissez aux balles avec lesquelles vous jonglez, demandez-vous quel aspect de vous-même vous aurez à dépasser pour pouvoir en laisser tomber une. Choisissez l'un des énoncés énumérés plus haut et notez à quelle sphère de votre vie il s'applique. Si vous êtes de ceux qui cherchent à plaire aux autres, faites le pari de dire non au moins une fois par jour à une chose que vous auriez normalement accepté de faire. Si vous êtes de ceux qui tentent de tout faire, dites à votre patron que vous avez à faire face à de trop nombreuses priorités et demandez-lui de vous aider à faire un choix.

Si vous n'êtes pas sûr de savoir ce que vous devez changer, demandez à une personne en qui vous avez confiance de vous donner trois idées et demandez-lui de vous soutenir. Rappelez-vous : votre vie en vaut la peine !

La première balle que j'aimerais laisser tomber est :

_____

La sphère de ma vie à laquelle elle s'applique est :

_____

Le nouveau comportement que j'adopterai cette semaine est :

_____

RESSOURCES

The Artist's Way at Work [Votre créativité appliquée au travail]
par Mark Bryan en collaboration avec Julia Cameron et Catherine Allen
(New York : William Morrow, 1998)
En adaptant au milieu du travail leurs techniques d'émergence de la créativité comme moyen de parvenir à une satisfaction spirituelle profonde, les auteurs montrent que les gens peuvent se donner entièrement à leur travail lorsqu'ils prennent le temps de nourrir leur univers spirituel et d'être à l'écoute de leurs pensées.

Creating the Work You Love : Courage, Commitment and Career [Créer le travail que vous aimez : courage, engagement et carrière]
par Rick Jarow (série audio)
Pour commander :
Sounds True
413, av. Arthur Sud
Louisville, CO 80027
(800) 333-9185
Par ce regard unique et provoquant porté sur le milieu du travail, le conseiller d'orientation Rick Jarow se fait le défenseur du retour au concept de vocation, c'est-à-dire entendre un « appel » plutôt que de trouver un emploi.

Codependent No More [Fini la codépendance]
par Melody Beattie
(Hazelden, 1996)
Ce livre vous indiquera comment cesser de contrôler les autres et commencer à prendre soin de vous-même.

Chicken Soup for the Soul at Work : 101 Stories of Courage, Compassion and Creativity in the Workplace [Bouillon de poulet pour l'âme en milieu de travail : 101 histoires de courage, de compassion et de créativité vécues au travail]
par Jack Canfield, Mark Victor Hansen, Martin Rutte, Maida Rogerson, and Tim Clauss
(Florida : Health Communications, 1996)
Les employés comme les employeurs savoureront ces témoignages soutenants pour l'âme de personnes découvrant des valeurs spirituelles et expérimentant une profonde satisfaction dans leur travail.

A Real Life [Une vie authentique]
245 8e Avenue, PMB 400
New York, NY 10011
(802) 893-7040
A Real Life est un bulletin qui vise à aider les lecteurs à faire de meilleurs choix dans leur vie. Abonnement : 30 $ par année pour 6 numéros.

Semaine 11

VÉRIFIEZ
SOUS LE CAPOT

Ce que nous avons vécu dans le passé et ce qui nous attend devant nous
sont peu de choses comparativement à ce qui est présent
à l'intérieur de nous.

RALPH WALDO EMERSON

Lorsque nous voulons nous rendre à un endroit où nous ne sommes jamais allés auparavant, nous adoptons souvent une marche à suivre simple. Nous choisissons une destination, nous établissons notre itinéraire, nous ouvrons le capot de la voiture pour faire les vérifications d'usage et nous nous mettons en route jusqu'à ce nous arrivions à l'endroit choisi.

Nous procédons à un rituel semblable lorsque nous voulons réaliser un objectif. Nous clarifions notre but (notre destination). Nous mettons sur pied un plan d'action (notre itinéraire). Et nous nous mettons à l'œuvre, en espérant arriver à destination assez rapidement. Il n'y a qu'un seul problème : nous oublions habituellement de vérifier sous le capot.

Vous êtes-vous déjà demandé pourquoi un certain objectif ne s'était jamais réalisé ? Vous mettez sur pied une statégie formidable. Vous vous mettez à l'œuvre avec acharnement. Vous approchez du but. Mais peu importe l'ardeur avec laquelle vous tentez d'y parvenir, il semble toujours y avoir un obstacle qui vous empêche de réussir.

Le divin, dans son infinie sagesse, décide du moment parfait. Lorsque les choses ne se déroulent pas comme prévu, il se pourrait bien que nous ayons à comprendre qu'il nous faille attendre, ou qu'il faille changer de direction. Mais quelquefois nous savons par intuition qu'il s'agit de bien plus que cela. Nous nous sentons coincés et nous commençons même parfois à nous demander si la faute n'en reviendrait pas à cette « peur du succès », ou « peur de l'échec ».

C'est à ce moment qu'il est temps de regarder à l'intérieur — sous le capot. Trop souvent, lorsque nous entreprenons un périple, nous mettons l'accent sur les choses que nous avons à faire sans prendre en considération *qui* nous devons devenir pour nous rendre à destination. Par exemple, si vous voulez publier un livre, vous aurez besoin de développer votre capacité à retarder toute forme de récompense. Ou si vous voulez devenir un courtier en valeurs mobilières prospère, vous devrez développer un talent de communication hors pair de manière à susciter et entretenir un rapport de confiance avec vos clients. Le fait de posséder des connaissances et d'être informé ne suffit pas.

Quel est l'aspect de votre vie qui doit se transformer pour que vous puissiez réaliser votre objectif ? Y a-t-il une qualité que vous devriez développer, telle que la patience ou l'empathie ? Un talent particulier à renforcer ? Voilà d'importantes questions que vous devez vous poser lorsque vous vous sentez coincés ou, encore mieux, lorsque vous vous lancez dans un projet ou tentez de réaliser un objectif quelconque. Pour en apprendre davantage sur la façon dont vous pouvez identifier la qualité intérieure que vous pourriez développer plus à fond, mettez-vous au travail et faites les exercices de la section Passez à l'action de cette semaine. Une fois que vous aurez vérifié sous le capot et effectué les ajustements nécessaires, vous vous apercevrez que vous atteindrez votre destination plus facilement et avec plus de joie.

PASSEZ À L'ACTION

Pour découvrir quelles sont les qualités que vous devriez développer pour parvenir à réaliser votre objectif, tentez d'appliquer le processus en quatre étapes suivantes :

1. Identifiez une personne qui accomplit ce que vous aimeriez faire (assurez-vous que cette personne connaît *beaucoup* de succès).

2. Nommez trois qualités contribuant au succès de cette personne.

3. Choisissez une qualité que vous pensez devoir développer en tout premier lieu. (Il arrive souvent que cette qualité soit à la fois celle qui vous fascine le plus et celle qui vous effraie le plus.)

4. Cherchez de quelles façons vous pourriez concrètement développer cette qualité au quotidien.

Exemple :

Imaginons que votre objectif soit de devenir un animateur d'émission d'interview-variétés. Vous avez identifié Oprah Winfrey comme votre modèle. Vous observez ses trois principales qualités et vous notez :

1. Le courage — elle agit avec audace

2. La vulnérabilité — elle partage facilement ses expériences personnelles

3. Le goût du risque — elle se lance volontiers dans l'inconnu

Lorsque vous observez cette liste, vous vous rendez compte que la qualité à développer le plus chez vous est le courage. Alors, chaque jour vous faites quelque chose qui demande de l'audace. Vous vous lancez et vous prenez des risques. Peut-être déciderez-vous d'adopter un style de coiffure totalement différent (un style dont vous rêviez depuis très très longtemps) ou peut-être mettrez-vous enfin terme à une relation qui drainait votre énergie. Si vous posez un geste concret *chaque jour* en vue de développer cet aspect de votre tempérament, non seulement arriverez-vous à destination beaucoup plus vite, mais la route sera également beaucoup plus agréable.

Une personne que j'admire est :

_____

Les trois qualités que j'admire le plus sont :

1. _____

2. _____

3. _____

La qualité particulière que j'ai besoin de développer est :

_____

Pour développer cette qualité, je poserai les trois gestes suivants :

1. _____

2. _____

3. _____

RESSOURCES

Reinventing Yourself [*Réinventez votre vie*]
par Steve Chandler
(Career Press, septembre 1998)
Voici une excellente ressource pour apprendre comment devenir la personne que vous avez toujours rêvé d'être.

The Path of Least Resistance : Learning to Become the Creative Force in Your Own Life [*Le chemin de la moindre résistance : apprendre à devenir une force créatrice dans sa propre vie*]
par Robert Fritz
(New York : Fawcett Books, 1989)
Un programme révolutionnaire pour créer tout ce que l'on veut, d'une cuisine fonctionnelle à un logiciel, en passant par une œuvre d'art, grâce au pouvoir créateur qui réside à l'intérieur de nous.

Semaine 12

METTEZ VOTRE CERVEAU AU REPOS

Le feu étincelant de nos plus grandes joies
est généralement allumé par une étincelle inattendue.
SAMUEL JOHNSON

Vous êtes-vous déjà demandé pourquoi certaines de vos meilleures idées vous viennent quand vous prenez votre douche ? Ou pourquoi tout devient de plus en plus clair à mesure que vos vacances se déroulent ? Tout cela a à voir avec votre mode de pensée.

Le cerveau humain fonctionne selon deux modes principaux. Il y a le mode analytique, de réflexion, le mode que nous utilisons lorsque nous voulons mémoriser quelque chose, comprendre des bilans financiers ou acquérir une nouvelle habileté. Et il y a le mode détendu, de compréhension profonde, le mode qui nous permet de faire le point sur nos idées, d'être dans l'instant présent, et de faire appel à notre sagesse intérieure. Nous sommes dans ce mode lorsque nous prenons notre douche ou que nous sommes en vacances. Les deux modes sont importants, et chacun peut être plus utile lorsqu'il est utilisé de la bonne manière.

La culture dans laquelle nous sommes est tellement axée sur l'information que la plupart d'entre nous vivons totalement dans notre tête.

Nous passons tellement de temps à réfléchir, à analyser et à tenter d'organiser nos pensées que notre cerveau reste bloqué dans ce mode de fonctionnement analytique. Lorsque nous restons bloqués à ce niveau, nous nous préoccupons habituellement du passé ou de l'avenir, et cette concentration mentale compromet sérieusement notre qualité de vie au moment où nous vivons. Par exemple, si vous vous en faites à propos de la réunion que vous devez avoir avec votre patron à la fin de la semaine en n'arrêtant pas de penser à ce qui pourrait se passer, ce genre de pensée analytique peut ruiner tout le restant de votre semaine. Ou si vous vous torturez l'esprit pour résoudre un problème en ayant l'impression de tourner en rond sans voir de solution au bout du tunnel, il y a fort à parier que votre cerveau soit empêtré dans la roue de la pensée intellectuelle.

Il n'y a rien de mal à penser en mode analytique. Cependant, lorsqu'on se fie au mode analytique et calculateur pour traiter des situations d'une nature moins précise (telle que l'écriture, la résolution de problème ou les relations avec autrui), nous nous retrouvons à tenter de «trouver une solution» plutôt que de laisser la réponse émerger sans effort. Permettez-moi de vous donner un exemple de ce que je veux dire.

À l'époque où j'ai écrit mon premier livre, j'ai appris à utiliser mon cerveau détendu pour me permettre de vivre le processus dans une joie plus profonde. Lorsque j'étais prête à entreprendre un nouveau chapitre (habituellement la partie la plus difficile pour moi), je demandais à mon cerveau de se mettre à travailler afin qu'il puisse me donner une vue d'ensemble vers 15 heures. Puis, je partais à la plage, un bon livre à la main, et je passais le début de l'après-midi à me détendre au soleil. Chaque fois que mon esprit se mettait à réfléchir sur le contenu du chapitre (mode analytique), je me disais tout simplement : «Ton cerveau s'en occupe.» Puis je me détendais à nouveau (mode de compréhension profonde). Et comme prévu, lorsque je me retrouvais devant mon ordinateur à 15 heures, je me mettais à écrire et tout se mettait à couler tout seul. En fait, pour être plus juste, au début, il n'y avait que quelques gouttes à la fois. Mais à mesure que ma confiance en ce processus grandissait, l'écriture devenait plus facile. Voilà ce qui se passe lorsque vous permettez à votre cerveau de prendre du repos : vous avez beaucoup plus facilement accès à votre sagesse intérieure.

Si vous voulez profiter plus pleinement de la vie, il suffit tout simplement d'apprendre à vivre beaucoup plus souvent dans le mode de compréhension profonde. De cette façon, votre cerveau analytique sera plus disponible à autre chose — assembler le poêle au gaz cet été, par exemple.

PASSEZ À L'ACTION

Cette semaine, j'aimerais que vous tentiez une expérience. Choisissez un problème ou un défi, et au lieu de réfléchir encore et encore sur ce qui devrait être fait, demandez à votre cerveau détendu de résoudre le problème pendant que vous faites autre chose. Fixez le moment particulier pour entendre la réponse et laissez aller le tout. Créez votre propre mantra que vous utiliserez lorsque votre cerveau analytique tentera de prendre le dessus, et lorsque vous êtes prêt, soyez disponible à l'heure dite de la réponse et constatez ce qui émerge.

Non seulement la pratique régulière de ce simple exercice vous enseignera-t-elle à accéder à votre sagesse intérieure, mais elle entraînera aussi votre cerveau à se servir de ce mode de pensée plus souvent. Une fois que vous aurez appris à passer plus de temps en mode de compréhension, vous constaterez que votre imagination se mettra à fonctionner au galop et que vous serez capable d'accéder à votre sagesse intérieure en l'espace d'un éclair.

Le problème, le défi ou l'idée qui sera l'objet de mon expérience cette semaine est :

_____

Lorsque mon cerveau analytique prendra le dessus, je dirai simplement :

_____

J'irai entendre la réponse le _____, à _____.

RESSOURCES

Slowing Down to the Speed of Life
[Ralentir à la vitesse de la vie]
par Richard Carlson et Joseph V. Bailey
(San Francisco, California : Harper, mars 2000)
Un guide simple et puissant pour créer une vie paisible à partir de ses forces intérieures.

Connecting to Creativity : Ten Keys to Unlocking Your Creative Potential [Contacter sa créativité : dix clés pour libérer votre potentiel créateur]
par Elizabeth W. Bergmann et Elizabeth O. Colton
(Sterling, Virginia : Capital Books, 1999)

Sanctuaries The Complete United States : A Guide to Lodging in Monasteries, Abbeys, and Retreats [Sanctuaires de tous les États-Unis : guide d'hébergement dans les monastères, les abbayes et les ermitages]
par Jack Kelly et Marcia Kelly
(New York : Bell Tower, 1996)
Si vous recherchez un endroit calme pour vous reposer, vous voudrez peut-être consulter ce livre. Tous les endroits mentionnés accueillent des gens de toutes confessions. La plupart sont chrétiens, mais de nombreux sont bouddhistes, soufis ou hindous, et quelques-uns n'ont aucune allégeance religieuse particulière.

Inspiration Sandwich : Stories to Inspire Our Creative Freedom [Sandwich d'inspiration : histoires pour inspirer notre libre créativité]
par Sark
(Californie : Celestials Arts, 1992)
Si vous cherchez à combiner humour et inspiration, les livres du Sark sauront vous accompagner tout en vous amusant.

Capture the Rapture : How to Step Out of Your Head and Leap Into Life [Saisir l'extase : Comment sortir de sa tête et plonger dans la vie]
par Marcia Reynolds
(Hathor Hill Press, 2000)
Pour commander :
Covisioning
B.P. 5012
Scottsdale, AZ 85261
(888) 998-5064
Apprenez comment raviver votre passion et trouver la joie dans tous les moments de votre vie.

UN JOUR NOUVEAU SOUS LE SIGNE DE LA BONNE FORME

*J'aime faire de l'exercice, mais ce n'est pas toujours possible
à cause de mes heures de sommeil irrégulières.*

ANONYME

L e printemps est habituellement le moment de l'année où bon nombre d'entre nous commençons à penser à nous mettre en forme. Je me suis donc tournée vers la personne la plus sage de mon entourage pour obtenir quelques conseils : mon mari Michael. Michael est un professionnel du conditionnement physique qui non seulement consacre sa vie à aider les gens à mettre au point leur propre programme de remise en forme, mais qui a aussi appris à parler de ses difficultés tout en marchant dès l'âge de dix ans. En tant que physiologiste de l'exercice, Michael a commencé à remarquer que les problèmes émotionnels de ses clients les empêchaient constamment d'atteindre l'objectif qu'ils s'étaient fixé. Inspiré par cette constatation, il entreprit des études et décrocha une maîtrise en psychologie clinique. Depuis ce temps, Michael a poursuivi son exploration du conditionnement physique et émotionnel pour y inclure l'aspect relatif aux blocages énergétiques qui empêchent les gens de vivre en santé.

Créer un mode de vie sain est un processus global. Nous savons tous que ce processus implique une amélioration de notre état au niveau physique et psychique; cependant, des recherches ont démontré que d'autres secteurs sont également à considérer. L'un de ces secteurs a trait à ce que l'on appelle les champs d'énergie et la manière dont les déséquilibres dans ces champs peuvent influer sur notre façon de penser, de ressentir et de faire les choses. Parmi les thérapies utilisées pour corriger ces déséquilibres, on peut noter la thérapie de la pensée et des champs énergétiques (Thought-Field Therapy ou TFT) et les techniques de libération des émotions (Emotional Freedom Techniques ou EFT). Dans le cadre de son travail, Michael a constaté que ces champs ou trajets de l'énergie (semblables à ceux que l'on retrouve en acupuncture) sont souvent bloqués de telle sorte que cela nous empêche d'aller jusqu'au bout de nos efforts pour perdre du poids ou se mettre en forme, ou encore bénéficier de ces efforts.

Avec le temps et l'expérience, Michael a constaté que des blocages ou des perturbations dans ces champs pouvaient restreindre la circulation de l'énergie, diminuer ou saboter notre motivation, et nous mettre finalement sur la voie de l'échec. À la suite de ses études dans ce nouveau domaine, Michael a commencé à utiliser la TFT et d'autres thérapies énergétiques dans son travail auprès de ses clients, et il a pu constater une augmentation marquée du taux de succès dans leurs entreprises. Des recherches étonnantes se font actuellement dans ce domaine, et j'ai inclus de l'information supplémentaire sur ce sujet dans la section Ressources, à la fin du chapitre.

J'aimerais ici partager les huit éléments les plus importants que Michael m'a enseignés dans le but de créer un mode de vie sain, en espérant qu'ils vous aideront aussi dans votre quête d'un meilleur équilibre physique, psychique et spirituel.

1. Être en forme signifie plus que bien manger et faire de l'exercice régulièrement. Se mettre en forme est un processus à la fois émotionnel, spirituel, psychologique et physique. Si vous ne considérez pas ces quatre aspects dans votre programme de conditionnement physique, il y a de fortes chances que vous ne réussissiez pas.

Outre cette approche globale, certains obstacles peuvent empêcher la personne la mieux intentionnée du monde de réussir. Parmi ces obstacles, notons entre autres les allergies alimentaires, la dépression, les déséquilibres hormonaux, les TDA, une hypothyroïdie, et plus encore. Si vous ne connaissez pas les obstacles que vous portez, il est fort probable que vous continuerez à vous rendre responsable de vos échecs. La section Ressources à la fin du chapitre contient de l'information qui vous aidera à identifier et à surmonter vos obstacles.

2. Lorsque votre attention passe du désir de perdre du poids à celui de créer un espace quotidien pour vous occuper de vous, les chances de réussir à long terme augmentent considérablement. Même si perdre du poids est important pour vous, dites-vous qu'il s'agit de l'une des conséquences au fait d'adopter un style de vie sain.

3. Il n'existe aucun programme d'exercice ou régime alimentaire qui convienne à tout le monde. Apprenez à bien manger selon votre type physique et trouvez la forme d'exercice qui vous convient le mieux pour respecter vos aspirations et vos besoins individuels.

4. Vous n'avez pas à attendre d'avoir atteint un poids précis pour vous sentir mieux dans votre peau. Vous n'avez qu'à prendre bien soin de votre corps *dès aujourd'hui*. Lorsque je me sentais frustrée du temps qu'il fallait pour atteindre le poids que je m'étais fixé, Michael me rappelait de me concentrer à manger mieux et à faire de l'exercice « aujourd'hui seulement ». En faisant cela, j'ai éliminé le plus gros obstacle qui m'empêchait de me mettre en forme et de le demeurer : le discours négatif que j'entretenais face à moi-même.

5. Cessez temporairement votre abonnement aux catalogues et magazines qui contiennent des images léchées et trafiquées par ordinateur. Ces images ne font que générer du dégoût pour soi-même. Lorsque vous regardez ces photos et que vous vous dites « Si seulement j'avais un corps comme ça » ou « Je ne pourrai jamais ressembler à ça », vous vous dirigez tout droit dans la spirale descendante qui vous entraînera presqu'inévitablement devant le réfrigérateur ou sur le canapé.

6. Adhérer à un programme de perte de poids simple et approprié est une excellente façon de contacter à nouveau votre corps et de réduire votre pourcentage de gras corporel. La première fois que j'ai vu Michael

s'entraîner, j'ai pu constater que l'entraînement pouvait être une forme de méditation. Au fur et à mesure qu'il m'enseignait à me concentrer et à bouger lentement, en portant mon attention au muscle que j'étais en train de renforcer, je contactais mon corps d'une manière plus profonde, plus spirituelle. Étonnamment, apprendre à faire les exercices plus lentement et avec une attention soutenue m'a permis d'obtenir des résultats en beaucoup moins de temps.

7. Vous bifurquerez de la voie vers une santé parfaite au cours de votre vie ; voilà une certitude assurée. Toutefois, lorsque cela vous arrivera, rappelez-vous toujours qu'il ne suffit que d'un seul choix alimentaire ou d'une seule séance d'entraînement pour vous sentir bien dans votre peau à nouveau.

8. Enfin, le conseil le plus important est celui-ci : vous avez le droit de ne pas être parfait. Un sundae à la crème glacée ou une semaine sans séances d'entraînement ne vous fera pas mourir. La quête de la perfection, par contre, le fera probablement.

PASSEZ À L'ACTION

Cette semaine, observez quels sont les obstacles qui pourraient vous empêcher d'atteindre vos objectifs en matière de santé. Par exemple, vous n'êtes peut-être pas une personne matinale et pourtant vous exigez de vous-même de vous lever plus tôt pour vous entraîner. Ou vous détestez peut-être vous servir des appareils d'exercice à l'intérieur mais vous ne vous permettez pas de faire une activité amusante en plein air parce que vous croyez qu'il faut forcer pour faire de l'exercice physique. Entre autres obstacles, notons aussi certains aliments comme la caféine ou le sucre, ou encore une blessure qui vous empêche de faire de l'exercice, ou un horaire chargé.

Dans l'espace ci-dessous, énumérez cinq obstacles qui vous empêchent peut-être de vivre en santé. Puis, à côté de chacun des obstacles, écrivez une solution possible qui vous aidera à surmonter l'obstacle, de telle sorte que vous pourrez vous engager dans un changement positif. Par exemple, si vous souffrez d'une blessure, prenez rendez-vous avec un praticien professionnel en vue d'un examen. Ou encore, remplacez le café par le café décaféiné.

Une fois que vous avez énuméré les cinq obstacles et les solutions, choisissez une solution et amorcez le changement durant la semaine. Il ne suffit que d'un petit geste à la fois pour obtenir des résultats.

OBSTACLES   SOLUTIONS

1. _____   1. _____

2. _____   2. _____

3. _____   3. _____

4. _____   4. _____

5. _____   5. _____

RESSOURCES

When Working Out Isn't Working Out :
A Mind/Body Guide to Conquering Unidentified Fitness Obstacles (UFOs)
[*Lorsque l'entraînement ne donne aucun résultat :* **un guide pour vous orienter psychiquement et physiquement vers l'élimination des obstacles non identifiés à la santé**]
par Michael Gerrish
(New York : St.Martin's Griffin, 1999)
Ce livre révolutionnaire se veut un guide complet pour identifier et surmonter les blocages cachés qui peuvent vous empêcher de vous mettre en forme de façon optimale. Pour de plus amples renseignements, visitez le site Web de M. Gerrish à l'adresse suivante : *www.exerciseplus.com*

Women's Bodies, Women's Wisdom [*Corps de femme, sagesse de femme*]
par Christiane Northrup, m.d.
(New York : Bantam Doubleday Dell, mars 1998)
Ce livre est une excellente ressource sur la santé des femmes vue sous un angle global.

www.eNUTRITION.com
Un site Web proposant une foule de produits et de renseignements sur la santé. Une source d'inspiration qui vous aidera à réaliser vos objectifs en matière de santé.

www.OnHealth.com
OnHealth compile les meilleures ressources à l'échelle nationale et internationale afin de vous offrir l'information la plus fiable sur des sujets de votre choix dans le milieu de la santé et du bien-être.

The Courage to Start : A Guide to Running for your Life [Le courage de commencer : un guide pour vous aider à courir vers votre vie]
par John Bingham
(New York : Simon & Schuster/Fireside, 1999)
Un guide amusant et inspirant à l'intention des coureurs débutants.

Pour de plus amples renseignements sur la thérapie de la pensée et des champs énergétiques (Thought Field Therapy), communiquez avec :
Roger Callahan
Callahan Techniques
78-816 Via Carmel
La Quinta, CA 92253
(800) 359-CURE (2873)
http://www.tftrx.com
Il s'agit du site Web du fondateur de cette thérapie énergétique unique et fascinante qui contribue à la guérison de tous les problèmes, des phobies aux dépendances, et plus encore.

Instant Emotional Healing [Guérison émotionnelle instantanée]
par Peter Lambrou et George Pratt
(New York : Broadway Books, 2000)
Ces deux éminents psychologues cliniciens offrent une nouvelle méthode révolutionnaire qui utilise la thérapie de la pensée et des champs énergétiques (thought field therapy) pour vous débarrasser de tous vos problèmes : stress, claustrophobie, tergiversation, décalage horaire, sentiment de rejet, et plus encore.

Semaine 14

ET LE PLAISIR DANS TOUT ÇA ?

La vie n'est pas une continuelle répétition générale.
LORETTA LAROCHE

Quand pour la dernière fois vous êtes-vous permis d'avoir du plaisir ? À quand remonte votre dernier fou rire ou l'expérience qui vous a tellement passionné que vous en reteniez votre souffle ? Vous savez, ce genre d'activité qui accroche un sourire à vos lèvres pendant au moins trente minutes ? Souvenir vaguement familier peut-être ? Je ne sais pas si c'est le cas pour vous aussi, mais parfois je prends la vie tellement au sérieux que lorsque je me lance dans un projet ou que j'entreprends la réalisation d'un objectif, je plonge dans le travail en ne prenant que rarement le temps de respirer. En fait, je constate que le plaisir ne fait plus partie de ma routine quotidienne lorsque le seul fait d'entrendre prononcer le mot « plaisir » me dérange.

Le plaisir est un nutriment essentiel dans toute vie de qualité supérieure. Chez la plupart d'entre nous, ce nutriment est en carence. Ce serait merveilleux, n'est-ce pas, si nous pouvions nous procurer de la « poudre de plaisir » au magasin d'aliments naturels, un peu comme une poudre de protéine, et en boire un bon verre chaque matin avant d'aller travailler ? D'ici là, vous aurez à faire un peu plus d'efforts pour inclure le plaisir dans votre vie quotidienne.

Faire quelque chose qui sort de l'ordinaire peut être une merveilleuse façon d'ajouter du plaisir à votre vie. Pensez à quelque chose que nous n'avez pas fait depuis longtemps. Allez glisser avec les enfants (ou emmenez les enfants de votre voisin, si vous n'en avez pas, avec la permission des parents, bien entendu). Prenez un après-midi de congé et aller au cinéma voir un film comique. Allez danser avec un ami. Ou gardez dans votre voiture une cassette que vous trouvez drôle de telle sorte que vous puissiez la faire jouer et rire un bon coup pendant que vous conduisez.

La vie est courte. La vie nous tient trop occupés. La vie peut être ennuyeuse par moments. Le remède : une dose de plaisir, au moins une fois par jour, devrait vous remettre sur pied !

PASSEZ À L'ACTION

Arrêtez-vous immédiatement, ouvrez votre traitement de textes et fabriquez-vous une affiche (avec des caractères gros de 24 points au moins) où sera inscrit : ET LE PLAISIR DANS TOUT ÇA ? Imprimez cette affiche et accrochez-la dans votre maison ou au travail. Habituez-vous à vous rappeler de faire quelque chose d'amusant à deux reprises au moins cette semaine. (Rappelez-vous le test du sourire de 30 minutes !)

Pour ceux d'entre vous qui oubliez comment on peut avoir du plaisir, ne vous inquiétez pas. J'ai prévu cette difficulté et c'est pourquoi j'ai consulté quelques « experts en plaisir » (mes nièces et neveux, âgés entre trois et huit ans) qui m'ont dressé la liste de leur dix plus grands plaisirs, que voici :

1. S'amuser avec ses amis.

2. Jouer à des jeux vidéos (et ne vous en faites pas si vous n'êtes pas habile au début).

3. Aller au magasin de jouets.

4. Tenir un chaton dans ses bras.

5. Manger un cornet de crème glacée (un GROS, parce que ça dure plus longtemps).

6. Glisser sur une glissoire ou se balancer sur une balançoire.

7. Aller à la plage et faire beaucoup de remous dans l'eau.

8. Aller glisser et apporter ses mitaines.

9. Jouer au gymnase (un gymnase avec des activités de la jungle)

10. Ne pas prendre sa douche.

Les trois choses que j'aimerais faire pour le plaisir sont :

1. _____

2. _____

3. _____

RESSOURCES

Relax — You May Only Have a Few Minutes Left [Détendez-vous — Vous vivez peut-être vos dernières minutes]
par Loretta LaRoche
(New York : Villard Books, 1998)
Utiliser le pouvoir de l'humour pour surmonter le stress dans votre vie et au travail.

Loretta LaRoche — Humor Potential Inc.
(800) 99-Tadah
www.lorettalaroche.com
Ce site Web propose des vidéos, des cassettes audio, des produits et des livres à caractère humoristique ou destinés à la détente.

Camp SARK
(415) 546-3742
www.campsark.com/campsark/swwgroups.html
Visitez ce site pour apprendre comment organiser votre propre « Succulent Wild Woman Group or Party » [groupe de femmes qui se réunissent pour vivre un brin de folie et jouir du plaisir des choses], un merveilleux moyen d'entrer en contact avec d'autres âmes avides de plaisirs!

Outward Bound
www.outwardbound.com (888) 882-6863
Pas seulement pour les enfants! Outward Bound, ce n'est pas seulement l'aventure dans la jungle, c'est aussi une expérience personnelle. Vous serez confronté aux limites que vous aurez choisies, vous tenterez de nouvelles expériences et développerez de nouvelles attitudes et de nouvelles approches.

Semaine 15

DEUX TÊTES VALENT MIEUX QU'UNE

Le partenariat, c'est entremêler intentionnellement les talents
et les énergies, donner tout ce que chaque partenaire peut offrir,
dans le but d'atteindre un objectif commun et de favoriser le bénéfice
mutuel de tous les participants. Le partenariat est l'avenir
de toutes les entreprises qui visent l'expression véritable.

STACY BRICE

J'ai eu le plaisir (et le défi), il n'y a pas très longtemps, de courir pour la première fois en compétition avec ma sœur Lisa. Notre objectif était de terminer la course sans avoir marché. Lorsque nous sommes arrivées le samedi matin, il faisait 35 degrés et le vent soufflait à 10-20 milles à l'heure, et nous avons été surprises de découvrir plusieurs pentes raides sur la moitié du parcours. Nous étions là à regarder fixement la crête de la première colline située tout juste après la ligne de départ, et nous nous sommes mises à avoir quelques appréhensions. Pour une raison inconnue, nous avions cru que la course se déroulerait sur terrain plat et serait facile (ah, les croyances, vous savez ce qu'on en dit…).

Le fait de courir ensemble m'a rappelé la puissance du partenariat. Même si plusieurs fois j'ai voulu arrêter et me mettre à marcher, les encouragements et la présence de Lisa m'ont permis de continuer. Nous formions une équipe, et parce qu'elle était à mes côtés, il m'était impossible d'abandonner ou de céder à cette petite voix dans ma tête qui disait que je ne me rendrais pas jusqu'au bout. Notre énergie mise en commun était beaucoup plus forte que notre énergie individuelle, et j'ai pu sentir à certains moments que j'étais réellement propulsée par le dynamisme de Lisa.

Le partenariat peut se révéler un puissant remède en toutes circonstances. On peut passer beaucoup plus facilement à travers l'épreuve difficile sur le plan émotionnel que représente un divorce ou une maladie grave grâce au réconfort et au soutien de quelqu'un à ses côtés. La réalisation d'un objectif important, comme l'achèvement de ses études secondaires ou les préparatifs d'un mariage, devient une tâche moins lourde lorsqu'on a un partenaire avec qui partager notre projet. Parfois la seule présence d'un ami suffit à rendre supportable la tâche apparemment insurmontable de nettoyer le sous-sol.

Nous négligeons trop souvent de demander de l'aide. Conditionnés à nous débrouiller seuls, nous avons parfois peur de paraître faible ou de sembler quêter. Et pour plusieurs d'entre nous, il ne nous vient tout simplement pas à l'esprit de faire appel aux autres pour obtenir du soutien. Faire équipe peut toutefois avoir des répercussions étonnantes dans la vie de chacun des partenaires.

Je me souviens encore du moment où j'ai finalement demandé de l'aide et embauché ma première assistante, Stacy Brice. Son soutien, d'abord d'ordre administratif, est vite devenu un partenariat qui non seulement a donné à mon entreprise un tout nouvel essor, mais a aussi permis de créer une nouvelle profession. Après une semaine, je me suis demandé comment j'avais pu faire pour attendre si longtemps avant de demander de l'aide, et à la fin d'une première année de collaboration, la réussite de mon entreprise avait dépassé largement mes objectifs. Ce partenariat a non seulement changé ma vie, elle a changé la vie de Stacy également.

Conséquemment à notre arrangement virtuel, Stacy a entrepris de lancer une toute nouvelle profession fondée sur le partenariat appelée « assistance virtuelle ». Elle a créé une université virtuelle, « Assist U » [« Assistance pour vous »] permettant de former des « assistants virtuels » souhaitant établir un rapport de partenariat avec des propriétaires d'entreprise. Non seulement cela, son organisation offre aussi un service gratuit de référence qui permet de jumeler des propriétaires d'entreprise à des assistants hors pair ! Voilà ce que peut accomplir le partenariat : créer une nouvelle entité bien plus importante que la somme des deux partenaires réunis.

L'être humain n'est pas fait pour vivre dans l'isolement. Partager ce que nous sommes avec quelqu'un dans une relation de partenariat nous permet d'approfondir le lien qui nous unit et nous donne le courage et la force de dépasser nos limites. Plus que tout, s'engager avec un partenaire signifie partager les joies de la réussite. Pour moi, ce fut l'aspect le plus enrichissant de la course menée aux côtés de ma sœur. Lorsque Lisa et moi sommes arrivées tout près de la ligne d'arrivée, je suis certaine que nous avons paru complètement ridicules avec nos cris et nos hurlements de petite fille, mais une chose est sûre, nous avions du plaisir !

PASSEZ À L'ACTION

Cette semaine, choisissez un objectif ou un projet et trouvez-vous un partenaire. Par exemple, vous pourriez demander à un collègue de travail de marcher avec vous durant l'heure du lunch et de cette manière, vous soutenir l'un l'autre dans votre volonté de vous mettre en forme. Ou vous pourriez, avec un ami, choisir chacun un projet que vous aviez mis au rancart et vous faire mutuellement le pari de le terminer d'ici la fin de la semaine. Peut-être est-il temps pour vous aussi d'embaucher un assistant ou une personne de soutien ? Que ce soit le simple fait de parler à quelqu'un avant ou après un appel téléphonique difficile ou la tâche plus exigeante de demander de l'aide pour la production de votre déclaration de revenus, donnez-vous (et donnez à quelqu'un) la chance de constater de première main la puissance du partenariat !

Le projet pour lequel j'aimerais recevoir de l'aide est :

_____

Voici le nom de trois partenaires possibles :

1. _____

2. _____

3. _____

RESSOURCES

Assist U [Assistance pour vous]
(410) 666-5900
http://www.assistu.com
Cette organisation forme des assistants virtuels et offre un service de référence pour les assistants virtuels qualifiés.

Dance Lessons : Six Steps to Great Partnerships in Business & Life [Leçons de danse : six pas vers un partenariat efficace, au travail comme dans la vie]
par Chip R. Bell et Heather Shea
(Berrett-Koehler, 1998)
Un guide où l'on apprend, pas à pas, à gérer les aspects personnels des partenariats d'affaires.

Semaine 16

S'ARRÊTER, REGARDER, ÉCOUTER

Lorsque vous vous entendez dire qu'il est absolument hors de question que vous puissiez prendre un congé, c'est exactement à ce moment-là que vous devez le faire.

JENNIFER LOUDEN

Maintenant que vous avez entrepris de modifier des choses au cours des dernières semaines, voici le moment idéal de vous accorder une petite douceur bien méritée! Si vous êtes comme la plupart des gens, vous vous sentez probablement épuisé, dépassé par les événements, et vous en avez ras le bol de voir tout ce qu'il y a à faire (malgré que vous devriez vous sentir mieux à la suite des gestes que vous avez posés jusqu'à maintenant). Trop souvent j'entends les gens dire qu'ils se reposeront ou s'accorderont un moment de détente *une fois* les choses terminées. Eh bien, j'ai une nouvelle pour vous :

La boîte de réception de la vie ne se vide jamais!

Notre culture trépidante alimentée à l'adrénaline vous prendra au piège de croire que vous serez finalement capable de vous détendre une fois ce dernier coup de téléphone passé, cette autre tâche accomplie, ou que vous aurez répondu à un message de courrier électronique de plus. Mais avant que vous ayez pu vous en rendre compte, vous serez à nouveau débordé et votre corps ne semblera pas vouloir ralentir. J'ai moi-même été bernée par cette croyance, et à cause de cela, je me suis entraînée à *arrêter*, à *regarder* et à *écouter*.

C'est lorsque nous sommes le plus occupés, lorsque nous sommes le plus stressés que nous avons besoin d'*arrêter* ce que nous sommes en train de faire, de *regarder* quelles sont nos priorités, et d'*écouter* ce que notre corps nous dit. Même si nous sommes capables de nous dépasser au cours d'une période plus difficile, je peux vous assurer que le stress et les épreuves nous ébranlent sérieusement. Nous sommes bientôt frappés de plein fouet par l'excuse parfaite qui nous oblige à nous arrêter : la maladie.

Au lieu de placer le temps que vous voulez consacrer à vous-même à la fin de votre liste de choses à faire, apprenez à intégrer des moments d'arrêt *pendant* les périodes les plus stressantes. N'attendez pas que la maladie vous arrête. En faisant cela, vous deviendrez plus sensible aux symptômes du stress (raideur du cou et des épaules, anxiété, pensées galopantes, incapacité de dormir, et ainsi de suite), et vous poserez des gestes pour vous en occuper avant qu'ils ne vous entraînent trop loin. Peu importe ce qui se passe dans votre vie actuellement, donnez-vous la permission de vous arrêter et de prendre le temps de vous dorloter.

PASSEZ À L'ACTION

Arrêtez-vous immédiatement et inscrivez un moment à votre horaire pour vous occuper de vous. Essayez l'une des suggestions suivantes :

1. Téléphonez à un membre de votre famille et demandez-lui de garder les enfants pour la nuit (ou, encore mieux, pour le weekend!).

2. Prenez rendez-vous chez le massothérapeute.

3. Demandez de l'aide à un ami.

4. Allez voir ce film que vous mourez d'envie de voir.

5. Faites une sieste au milieu de la journée (si vous êtes au travail, assurez-vous de bien verrouiller la porte!).

6. Fixez une sortie en amoureux avec votre partenaire.

7. Prenez un long bain ou créez-vous un spa maison pour la soirée.

Si vous n'êtes pas certain de la forme à donner à votre moment d'arrêt, tentez de répondre aux questions suivantes : Que pourriez-vous faire pour vous-même cette semaine qui vous ferait vous sentir coupable? Du moment que la réponse ne fait de tort ni à vous ni à personne, allez-y!

Cette semaine, le cadeau que je me fais pour m'occuper de moi-même sera :

RESSOURCES

National Certification Board for Therapeutic Massage & Bodywork (NCBTMB) [Conseil national de certification en massage thérapeutique et travail corporel]
8201, chemin Greensboro, bureau 300
McLean VA 22102
(800) 296-0664 (ligne entièrement automatisée)
www.ncbtmb.com
Une ressource où l'on trouvera des publications, le nom de praticiens répartis selon les régions, et des renseignements pour orienter le consommateur.

The Comfort Queen's Guide to Life [Guide de vie de la reine intérieure]
par Jennifer Louden
(New York : Harmony Books, 2000)
Dans cet agenda spirituel magnifiquement illustré, Jennifer Louden vient en aide aux femmes afin qu'elles puissent créer leur vie à partir de ce qu'elles ressentent et retrouver leur reine intérieure.

Spa Finders [Comment trouver un spa]
www.spafinders.com
Si vous cherchez où trouver un établissement genre «spa», voilà un bon endroit pour commencer vos recherches.

Omega Institute [Institut Omega]
260 chemin du Lac
Rhinebeck, NY 12572
(800) 944-1001
www.eomega.org
Le plus grand centre de retraite et d'enseignement parallèle au pays. Un oasis pour les gens qui aspirent à se connaître et à se soigner tout en partageant leur recherche avec d'autres qui sont sur la même voie.

American Red Cross Babysitter's Training Course [Cours de formation en gardiennage de la Croix-Rouge américaine]
www.redcross.org
Une excellente ressource pour les parents qui désirent trouver un gardien ou un gardienne diplômé. Ce cours d'une durée de douze heures est offert par les différentes sections de la Croix-Rouge à travers le pays. Il est conçu pour les onze à quinze ans et comprend un manuel du parfait gardien et une trousse de premiers soins.

Rod Stryker's meditation CD [CD de méditation de Rod Stryker]
Pour commander :
www.pureyoga.com
(888) 398-9642
Un merveilleux disque qui initie l'auditeur, étape par étape, à un processus de méditation simple et facile.

Meditations for Healing Stress [Méditations pour éliminer le stress]
(cassette audio) par Susie Levan, musique de Steven Halpern
Susie Levan
B.P. 8608
Fort Lauderdale, FL 33310-8608
(954) 382-4325
Une cassette contenant des visualisations guidées et calmes qui vous aidernt à éliminer le stress.

Shower Posters : Questions to reflect upon while enjoying a shower. [**Affiches pour la douche** : des questions sur lesquelles réfléchir tout en prenant sa douche.]
Pour commander :
Power Questions
5430, Glen Lakes, bureau 240
Dallas, TX 75231
(800) 503-9920
www.powerquestions.com
Prenez un moment pour réfléchir à des questions qui, avec le temps, vous aideront à vous orienter sur un chemin de vie qui vous mènera à une plus grande conscience. Ces affiches constituent un cadeau unique à prix accessible !

CRÉER DE L'ESPACE

Hors du désordre, la simplicité.
ALBERT EINSTEIN

C réer de l'espace est une chose primordiale chez moi. Non pas que ce soit une obsession (bien que je parierais que mon mari ne soit pas d'accord), mais simplement, j'ai besoin de beaucoup d'espace pour réfléchir, me détendre, créer et respirer. Il m'a fallu environ cinq années pour apprendre à éliminer le désordre et l'excès à sa source. J'en ai fait un rituel simple : en cas de doute, à la poubelle. Apprendre à éliminer le désordre à sa source renvoie au problème à son niveau le plus élémentaire. Par exemple, en triant le courrier indésirable *à l'instant où* vous le recevez, et en jetant à la poubelle tout ce que vous pouvez, vous contribuez à arrêter le flot de paperasse avant qu'il ne se rende sur votre bureau, sur votre pile de choses à faire ou encore dans le terrible tiroir fourre-tout. Passer en revue votre pile de choses à faire en ayant à l'esprit d'abandonner tout projet que vous vous êtes «promis de faire un jour» peut être un autre excellent moyen de tuer dans l'œuf toute possibilité de désordre.

Apprendre à éliminer le désordre est une habileté importante que l'on doit développer dans la vie, particulièrement dans cette «ère de l'information » surchargée où nous vivons. Nous sommes trop nombreux à avoir créé une dépendance envers l'information. Nous conservons des magazines, des catalogues, de vieux dossiers et mêmes des manuels scolaires désuets. Et nous empilons des montagnes de papier tout autour de nous parce que nous avons peur d'avoir besoin un jour de l'information qu'elles contiennent. Ce n'est pas que l'information soit une mauvaise chose — nous avons besoin d'information pour pouvoir prendre des décisions éclairées. Mais à cause de notre dépendance extrême à l'information extérieure, nous avons pris l'habitude de constamment faire appel à des sources extérieures pour trouver les réponses, au lieu de nous servir d'une autre source primordiale — notre instinct ou notre intuition —, là où se trouve notre sagesse.

Tout ce que vous avez toujours voulu savoir sur n'importe quoi est maintenant disponible sur Internet. Si vous ne me croyez pas, ouvrez un moteur de recherche et entrez un mot. Notez la somme d'information qui apparaît à votre écran (pâte dentifrice : 28 000 entrées ; consultations sur le leadership : 819 entrées). Pourquoi ne pas profiter d'Internet et vous libérer du désordre et des piles de papier ?

Créer de l'espace vous permet de vous sentir mieux physiquement et émotionnellement. Une fois que vous éliminez ces éléments qui drainent votre énergie, vous pouvez sentir réellement l'énergie revenir dans votre corps. Et lorsque cela se produit, votre esprit s'éclaircit et votre humeur s'en ressent aussi. Faisons une petite expérience. Arrêtez-vous immédiatement et balayez la pièce du regard. Y a-t-il un endroit encombré qui pourrait bénéficier d'un nettoyage ? Une corbeille pleine à ras bord ou une bibliothèque remplie de piles de papier ? Depuis combien de temps avez-vous l'intention de faire le ménage à cet endroit ? Remarquez ce qui se produit chez vous physiquement *et* mentalement lorsque vous concentrez votre attention sur cet espace.

Si vous êtes comme la plupart des gens, vous avez probablement l'intention de corriger ce désordre depuis un bon moment déjà. La combinaison de ce discours négatif que vous entretenez face à vous-même et l'impact visuel de tout ce désordre draine votre énergie. Lorsque vous vous décidez enfin à mettre de l'ordre dans vos papiers, vous vous sentez à nouveau plein d'énergie et vous retrouvez votre motivation. (Ne vous en faites pas, vous en ferez l'expérience bientôt).

Mais trève de paroles, il est temps de nous mettre au travail. Prenez connaissance de la section Passez à l'action plus bas et répétez après moi : en cas de doute, à la poubelle ; en cas de doute, à la poubelle ; en cas de doute, à la poubelle...

PASSEZ À L'ACTION

Voici ce que je vous propose. Cette semaine, choisissez un endroit qui aurait besoin d'être nettoyé et faites le pari de jeter *davantage* d'éléments que vous ne le voudriez au premier abord. Prenez une heure dans l'après-midi pour ouvrir un tiroir de votre classeur et le débarrasser des vieux dossiers. Attaquez-vous à un placard qui vous rend dingue. Faites le ménage du disque dur de votre ordinateur. Ou de ce tiroir fourre-tout auquel vous voulez vous attaquer depuis longtemps. Considérez cet exercice comme un moyen de développer une nouvelle habileté propre à la vie du XXIe siècle. Lâcher prise sur plus d'éléments que nous ne le voudrions normalement a moins à voir avec la diminution du désordre qu'avec le fait d'apprendre à développer la mentalité du « en cas de doute, à la poubelle ». Cette mentalité nous permet d'aller à la source du problème.

Lorsque vous aurez terminé, installez-vous au moins cinq minutes en face de l'espace que vous aurez nettoyé et notez ce que vous ressentez. Se sentir à la fois détendu et énergisé, voilà le but ultime de créer de l'espace.

RESSOURCES

Merry Maids [Joyeuses femmes de ménage]
(800) 637-7962
www.merrymaids.com
Service national de nettoyage. Appelez le numéro sans frais ou visitez le site Web pour obtenir de plus amples renseignements.

Garage/Yard Sales... A Great Way to Make Exra Money! [Les ventes de débarras... Une excellente façon de faire plus d'argent!]
par Carol A. Bland, éditrice
(Kansas : Wyandotte West Communications, 1998)
Des conseils, des trucs, des stratégies et des idées concernant les ventes de débarras, tous rassemblés dans ce petit livre facile à lire.

www.zerojunkmail.com
(888) 970-5865
Ce service vient en aide aux consommateurs qui désirent libérer leur vie du courrier indésirable, y compris le courrier électronique, de même que des appels non sollicités des vendeurs par téléphone.

National Association of Professional Organizers (NAPO) [Association nationale des organisateurs professionnels]
1033, La Posada, bureau 220
Austin, TX 78752
Ligne de référence : (512) 206-0151
Adresse du site Web : *www.napo.net*
Cette organisation peut vous aider à trouver un organisateur professionnel dans votre localité.

Organizing From Inside Out [L'organisation de fond en comble]
par Julie Morganstern
(Owl Books, septembre 1998)
Un système à toute épreuve pour organiser votre maison, votre bureau et votre vie.

A Housekeeper Is Cheaper Than a Divorce [Une femme de ménage coûte moins cher qu'un divorce]
par Kathy Fitzgerald Sherman
(Californie : Life Tools Press, 2000)
Pourquoi vous pouvez vous permettre de faire appel à des professionnels et comment obtenir leurs services.

Home Comforts [Confort au foyer]
par Cheryl Mendelson
(New York : Scribner, 1999)
Ce livre aide le lecteur à faire face à tous les défis de sa vie : sentiment de culpabilité, mystères de l'impôt, barrières linguistiques, défis de la formation, normes de qualité. Il permet de trouver la personne parfaite pour s'occuper des corvées quotidiennes.

Clear Your Clutter with Feng Shui [Nettoyez votre désordre grâce au feng shui]
par Karen Kingston
(New York : Broadway Books, mai 1999)
Une merveilleuse façon de s'initier aux concepts du feng shui et un argument valide qui explique en quoi le désordre peut avoir des répercussions néfastes sur votre vie.

CONCENTREZ VOTRE ÉNERGIE

*Se mettre dans un état d'esprit et parvenir à un niveau d'énergie
qui nous permet d'accomplir les choses exigeant un travail
honnête et constant est la grande bataille que nous avons tous à livrer.
Lorsque cette bataille est gagnée pour de bon, alors tout devient facile.*

THOMAS A. BUCKNER

La vie est vraiment étrange. Lorsque j'ai décidé d'intituler ce chapitre «Concentrez votre énergie» et d'écrire sur l'importance d'établir des priorités et d'éliminer les distractions pour pouvoir se concentrer, je me suis retrouvée, un beau matin, alors que j'étais encore au lit à réfléchir sur le contenu de mon chapitre, mon esprit envahi par une multitude d'autres idées pour d'autres chapitres. Je me suis mise à examiner ces sujets, et bientôt je me suis sentie agitée et quelque peu dépassée par la situation. C'est alors que j'ai vu clair : je laissais ces autres idées distraire mon attention.

Je me suis donc remise sur la voie de mon idée originale…

S'il vous est déjà arrivé de vous sentir écartelé dans plusieurs directions à la fois, vous avez probablement fait l'expérience de la frustration et de l'inconfort qu'engendre ce que j'appelle une « éclaboussure d'énergie ». Une éclaboussure d'énergie est ce qui se produit lorsque notre attention est distraite et que nous nous écartons de notre centre. Je suis certaine que vous avez vécu cela déjà : vous vous concentrez pour rédiger un message de courrier électronique, le téléphone sonne, vous perdez le fil de votre idée, et voilà que votre attention est complètement absorbée par autre chose. Ou alors, vous êtes en train de lire un rapport en prévision d'une importante réunion, quelqu'un entre dans votre bureau, et vous oubliez totalement ce que vous venez de lire. Ces distractions non seulement vous font gaspiller un temps précieux, mais elles vous font gaspiller une précieuse énergie aussi. De plus, elles vous rendent frustré, anxieux, jusqu'à vous faire sentir complètement dépassé.

Dans notre monde moderne de boîtes vocales, de courrier électronique, de télécopieurs et de téléphones cellulaires, il n'est pas étonnant que nous ayons tant de difficulté à concentrer notre énergie sur ce qui est vraiment important. Trop souvent nous nous permettons de nous éloigner de nos priorités pour répondre aux besoins des autres. Cependant, si vous voulez respecter vos priorités et accomplir votre travail avec plus d'efficacité, vous aurez besoin de rassembler votre énergie éclaboussée et de concentrer à nouveau votre attention.

Voici un petit truc que j'utilise lorsque je suis occupée, et qui m'aide à rendre ma journée plus productive et plus plaisante. Les journées où je suis la moins stressée et la plus concentrée sont celles où j'ai pris le temps de prévoir le matin ce que j'allais faire au cours de ma journée. Avant d'entrer dans mon bureau, je m'asseois tranquillement et je fais ce qui suit :

1. Je dresse la liste de mes trois principales priorités pour la semaine dans mon journal personnel.

2. Je dresse la liste des trois actions les plus importantes à faire durant ma journée pour respecter ces priorités.

3. Je prévois et j'élimine les distractions.

Une fois que vous savez quelles sont vos priorités et que vous avez déterminé les actions qui vous permettront de les respecter, n'attendez pas d'être distrait. Prévoyez les distractions possibles et éliminez-les *avant* qu'elles ne puissent arriver. Par exemple, lorsque je me suis fixé comme priorité d'écrire, je ferme toujours la sonnerie de mon téléphone parce que je sais que le bruit me dérange. Ou si j'ai prévu de prendre un après-midi pour répondre à mes appels téléphoniques, je ferme mon ordinateur de telle sorte que mon attention ne soit pas détournée par le courrier électronique.

Imaginons que les trois priorités que vous ayez fixées pour la semaine soient les suivantes :

1. Faire de l'exercice

2. Terminer un rapport pour le travail

3. Passer du temps de qualité avec ma famille

Les trois actions les plus importantes que vous pourriez faire aujourd'hui sont :

1. Inscrire (à l'encre) trois dates dans mon agenda de cette semaine pour aller faire de l'exercice.

2. Me réserver une période de deux heures pour terminer mon rapport.

3. Organiser un pique-nique familial pour le week-end.

Les distractions possibles que vous pouvez déjà éliminer à l'avance sont :

1. Les problèmes de dernière minute. Terminer mon travail une demi-heure avant la période prévue pour l'exercice.

2. Les interruptions. Afficher un écriteau NE PAS DÉRANGER sur la porte de mon bureau.

3. La tentation de travailler pendant le week-end. Laissez tout mon travail au bureau le vendredi, de manière à disposer de tout le week-end pour me retrouver avec ma famille.

Lorsque vous mettez vos priorités et vos actions *par écrit* et que vous commencez votre journée de travail en éliminant toutes les distractions possibles, vous vous rendrez compte qu'il est beaucoup plus facile de demeurer centré (et détendu) pendant toute la journée.

PASSEZ À L'ACTION

Pendant la semaine qui vient, utilisez les quinze premières minutes de chaque journée pour créer votre propre rituel. Installez-vous confortablement pour écrire, et déterminez quelles seront vos trois priorités pour la semaine. Ensuite, faites la liste des actions que vous entreprendrez en vue de respecter ces priorités au cours de la journée. Et enfin, faites-vous le pari de trouver au moins trois distractions possibles et éliminez-les *avant* de commencer votre journée.

Mes trois priorités pour la semaine sont :

1. _____

2. _____

3. _____

Les cinq actions que je dois entreprendre cette semaine pour respecter ces priorités sont :

1. _____

2. _____

3. _____

4. _____

5. _____

Les distractions possibles sont :

_____

Pour éliminer ces distractions, je ferai ce qui suit :

_____

RESSOURCES

First Things First : To Live, To Love, To Learn, To Leave a Legacy [Les priorités d'abord : vivre, aimer, apprendre, léguer un héritage]
par Stephen R. Covey, A. Roger Merrill, et Rebecca R. Merrill
(New York : Simon & Schuster/Fireside, 1996)
Ce livre vous aidera à savoir quelles sont les choses qui sont vraiment importantes et qui méritent que vous y concentriez toute votre attention.

Mastery [Maîtrise]
par George Leonard
(New York : Dutton, 1982)
http://www.penguin.com
Un petit livre rempli de sagesse.

FAITES LA PAUSE SPONTANÉITÉ

*Le plus beau cadeau que vous puissiez vous faire
est de vous donner vous-même un peu d'attention.*
ANTHONY J. D'ANGELO

Avez-vous l'impression parfois que la vie n'est qu'une longue routine qui se poursuit d'une journée à l'autre ? Se lever, prendre une douche, se brosser les dents, s'habiller, partir au travail, et patati et patata… Eh bien, si un jour de plus de cette même vieille rengaine vous plonge dans la mauvaise humeur, il est peut-être temps de vous accorder une pause spontanéité.

Je sais que l'idée même de prévoir une pause spontanéité peut paraître contradictoire, mais lorsque vous considérez la façon dont notre société vit et fonctionne autour du temps, la chose peut être sensée. Trop souvent nous tombons dans le piège de croire que la vie sera plus facile et plus sensée une fois que nous serons devenus vraiment experts dans l'art de vivre et d'agir avec efficacité. Mais les horaires, les horloges et le temps planifié d'avance peuvent anéantir notre esprit créateur, cette partie de nous qui vit en fonction d'un temps spontané, libre de toute contrainte.

J'aime vivre dans un temps sans contrainte. En d'autres termes, j'aime avoir devant moi un après-midi ou une journée complète où je peux faire tout ce que je veux, sans avoir à être quelque part ou à faire quelque chose à un temps précis. En fait, je peux devenir assez difficile à vivre lorsque mon horaire est rempli de rendez-vous (vous n'avez qu'à demander à mon mari).

Lorsque je dispose de temps libres, souvent je m'arrête, je ferme les yeux et je regarde à l'intérieur de moi pour savoir ce qui est bon pour moi à ce moment précis. Quelquefois, j'obtiens une réponse un peu folle du genre : «Nettoyer le réfrigérateur» (assez bizarre, j'en conviens). D'autre fois, je peux vouloir faire une sieste, aller courir, faire un tour à la bibliothèque, ou simplement m'asseoir et relaxer.

En tant qu'êtres créateurs, nous avons tous besoin de moments pour vivre spontanément, libres de tout engagement ou de distractions. En créant l'espace pour vivre le moment présent, nous fortifions notre lien à notre sagesse intérieure et nous nous accordons à nous-mêmes le repos dont nous avons tant besoin pour nous dégager de cette routine de la vie de tous les jours. Alors, si l'idée de vous brosser les dents ou de vous habiller vous semble être une tâche insurmontable, il serait peut-être temps de vous accorder une pause spontanéité!

PASSEZ À L'ACTION

Prévoyez une pause spontanéité à votre horaire cette semaine. Prenez un après-midi ou une soirée et faites-vous le cadeau d'un temps libre de toute obligation et de tout rendez-vous. Faites tout ce qui vous vient à l'esprit au moment présent. Durant ce temps, arrêtez-vous et appelez l'être sage à l'intérieur de vous-même et demandez-lui : «Qu'est-ce que je veux *réellement* faire à cet instant précis?» Peu importe si la réponse vous semble un peu folle ou simpliste, faites confiance à ce que vous portez dans vos tripes et passez à l'action!

Le temps libre et spontané que je m'accorderai cette semaine sera :

_____

RESSOURCES

Life, Paint and Passion : Reclaiming the Magic of Spontaneous Expression [Vie, peinture et passion : retrouver la magie de l'expression spontanée]
par Michelle Cassou et Stewart Cubley (New York : J. P. Tarcher, 1996)
Ce livre explique comment se servir du processus créateur comme outil important de la découverte de soi, en encourageant le lecteur à se lancer dans une exploration intérieure par la pratique libre de la peinture comme moyen d'expression spontanée.

www.recreation.gov
Une excellente ressource pour trouver des activités récréatives gratuites ou peu dispendieuses que l'on peut faire sur les terrains gouvernementaux de partout au pays, notamment : aires de pique-nique, cyclotourisme, navigation, camping, escalade, visite de sites culturels ou historiques, pêche, randonnées, équitation, chasse, sports d'hiver, et sports nautiques.

Semaine 20

LES SIGNES AVANT-COUREURS

*Lorsque vous appliquez les principes de l'extrême attention à soi-même,
vous vous enveloppez d'une énergie qui fait des miracles dans votre vie
et dans la vie de ceux qui vous entourent.*

SHIRLEY ANDERSON

L e concept de l'extrême attention à soi-même est le fondement même de tout mon travail. Appliquer le concept de l'extrême attention à soi-même signifie prendre un soin exceptionnel de sa personne même lorsque cela vous embarrasse ou ressemble à de l'apitoiement sur vous-même. L'expérience m'a montré que nous sommes nombreux à hésiter à prendre soin de nous-mêmes et à mettre nos propres besoins en priorité, de peur que cela ne paraisse égoïste ou inapproprié. Toutefois, pour être présent aux autres d'une manière saine, il vous faudra absolument être d'abord présent à vous-même.

L'exercice de l'extrême attention à soi-même est par définition unique à chaque personne. En voici quelques exemples :

- Recourir aux services d'un gardien ou d'une gardienne, ou encore échanger des services de gardiennage avec un ami, deux fois par semaine au lieu d'une fois par mois.

- Vous autoriser à changer d'avis à propos d'un engagement que vous avez pris, même si cela risque de décevoir quelqu'un.

- Demander à une personne de cesser de se plaindre au lieu de tolérer ses jérémiades simplement par gentillesse ou par politesse.

- Ne pas vous nourrir d'aliments sans valeur nutritionnelle.

- Demander de l'aide au moment où vous en avez besoin au lieu de vous obstiner à vivre l'inconfort.

- Vous autoriser à dépenser un peu plus que vous ne pensez le mériter pour obtenir la voiture, le matelas, la maison, etc. qui vous convient.

- Vous faire masser une fois par semaine au lieu d'une fois tous les deux mois.

Je suis toujours très émue et inspirée par les gens qui adoptent d'emblée ce concept d'extrême attention à soi-même. Non seulement font-ils preuve d'une ouverture d'esprit et accueillent-ils avec enthousiasme le message selon lequel une vie de qualité supérieure commence par l'attention portée à la qualité de sa propre personne, mais ils sont prêts à faire quelque chose pour changer! Plus j'acquière de l'expérience, et plus j'apprécie le travail de mon premier conseiller, Thomas Leonard, qui m'a initiée à ce concept de prendre beaucoup plus soin de moi-même que je ne pensais le mériter. Je suis persuadée que l'extrême attention à soi-même est un concept puissant et guérisseur dont le monde effréné d'aujourd'hui a bien besoin.

Il arrive souvent, lors des conférences que je donne à gauche et à droite au cours de mes nombreuses tournées, que les gens me demandent si je suis réellement capable de prendre soin de moi-même compte tenu d'un emploi du temps si chargé. Pour être franche, je répondrai que c'est le cas habituellement. L'idée d'apprendre à appliquer le concept d'extrême attention à soi-même à une toute autre échelle au fur et à mesure que mon emploi du temps devient de plus en plus chargé constitue un défi pour moi. Ma vie devient pour moi, en partie, une sorte de recherche.

Je suis soutenue dans mes efforts par une équipe d'urgence à toute épreuve : un conseiller extraordinaire qui m'aide à maintenir ma liste de priorités absolues bien à jour, de merveilleux amis et collègues qui me soutiennent indéfectiblement dans mon cheminement, et un mari aimant, qui à tout moment a l'autorisation d'intervenir pour me rappeler de prendre bien soin de moi.

Ce n'est pas toujours facile. Il y a des moments où je me sens totalement dépassée par les événements. Certains jours, je recule, prise de peur devant l'ampleur de ce que j'ai créé. Et souvent, j'aimerais pouvoir me retrouver dans une maison tranquille dans la forêt, près d'un jardin avec un chien à mes côtés. Mais l'une des choses qui me permettent de garder le cap et de faire ce que j'aime est de reconnaître les «signes avant-coureurs», c'est-à-dire les comportements annonciateurs de problèmes. Permettez-moi de vous donner quelques exemples de ce que je veux dire.

Je sais que je me dirige tout droit vers des problèmes lorsque mes comportements ressemblent à ceux-ci :

1. Je conduis la voiture sans avoir attaché ma ceinture de sécurité.

2. Je suis trop fatiguée pour passer la soie dentaire.

3. Je dors moins de huit heures par nuit.

4. Je suis à court d'eau embouteillée dans mon bureau.

5. Je suis trop fatiguée pour faire de l'exercice.

6. J'ai de la difficulté à me concentrer durant la journée.

7. Je ne trouve pas le temps d'arroser les fleurs des jardinières du balcon.

8. Je me mets au lit sans m'être nettoyé le visage.

9. J'oublie des choses simples comme la manière d'écrire le mot «les».

10. Je quitte le travail en laissant mon bureau en désordre.

Ah oui, j'oubliais

11. Je me mets à pester contre des objets inanimés.

Ce sont là des signaux qui me rappellent de porter une extrême attention à moi-même. Ce n'est pas que ma vie ne soit pas un véritable tourbillon — elle l'est. Mais le temps nécessaire pour revenir instantanément en mode d'extrême attention à moi-même est de plus en plus court. Je tolère beaucoup moins le stress qu'auparavant. Lorsque je commence à sentir le moindre signe d'affolement, je fais ce qui suit :

1. Je demande de l'aide. Lorsque j'ai besoin d'un avis ou d'un renseignement, de soutien émotionnel, ou d'un service quelconque, je décroche le téléphone et j'appelle mon conseiller, un ami, un voisin ou un membre de ma famille. Je peux aussi confier plus de travail à mon assistante ou tout simplement avoir une bonne conversation avec mon mari au sujet d'une difficulté quelconque. La chose importante est de se rappeler de demander de l'aide.

2. Je réévalue mes priorités. J'examine la liste de mes priorités absolues et je note s'il n'y aurait pas des éléments moins importants sur lesquels je dépense de l'énergie.

3. Je détermine ce que je dois laisser tomber pour pouvoir demeurer centrée sur les choses importantes, et je laisse tomber.

Voilà une formule simple qui donne des résultats. En plus de ces attitudes que vous pouvez adopter, il y a plusieurs éléments que vous pouvez utiliser pour créer votre propre trousse d'urgence d'extrême attention à soi-même. Ces éléments sont notamment :

*   Votre liste de priorités absolues

*   Le nom et le numéro de téléphone de deux ou trois amis qui peuvent vous soutenir

*   Un panneau où vous aurez inscrit : «Arrête-toi et respire» ou «Ce moment est passager»

*   Une paire de chaussures de marche pour vous rappeler de vous lever et de vous éloigner d'une difficulté

- Un oreiller spécial lorsqu'une sieste s'avère utile

- Des mouchoirs pour les moments où vous avez tout simplement envie de pleurer un bon coup

Nous possédons un instinct de survie, pas celui de l'attention extrême à nous-mêmes. Il est important de toujours être vigilant quant à la qualité de votre vie. En connaissant quels sont vos signes avant-coureurs, vous pourrez mieux préparer les éléments qui feront partie de votre trousse d'urgence d'attention extrême à vous-même.

PASSEZ À L'ACTION

Au cours de la semaine, notez les moments où vous commencez à devenir plus impatient, irritable, frustré ou dépassé par les événements. Quels sont les comportements qui déclenchent ces réactions ? Quelles sont les choses que vous oubliez lorsque vous êtes occupé ? Au fur et à mesure que vous notez ces choses, inscrivez-les dans un carnet et faites votre propre liste de signaux avant-coureurs.

Terminez la phrase :

Je sais que je me dirige tout droit vers des difficultés lorsque...

1. _____

2. _____

3. _____

4. _____

5. _____

6. _____

7. _____

8. _____

9. _____

10. _____

Servez-vous de ces signaux pour vous rappeler de reporter votre attention sur vos priorités.

Une fois que vous avez identifié quels sont vos signaux avant-coureurs, dressez la liste des trois éléments que vous mettrez de l'avant pour soutenir vos efforts d'attention extrême à vous-même.

1. _____

2. _____

3. _____

RESSOURCES

The Portable Coach : 28 Surefire Stra- ***tegies for Business and Personal Success*** ***[Le conseiller de poche : 28 stratégies à*** ***toute épreuve pour une réussite profes-*** ***sionnelle et personnelle]***
par Thomas J. Leonard
(New York : Scribner, Août 1998)
Ce guide conseil vous fera connaître des façons révolutionnaires de faire de l'attention à vous-même une priorité absolue dans toutes les sphères de votre vie.

Self-Nurture : Learning to Care for ***Yourself as Effectively as You Care for*** ***Everyone Else [S'occuper de soi : appren-*** ***dre à prendre soin de vous-même aussi bien*** ***que vous prenez soin de tout le monde]***
par Alice D. Domar et Henry Dreher
(New York : Viking, 1999)
Ce livre constitue un programme complet étalé sur un an et permettant au lecteur d'apprendre l'art fondamental qui consiste à prendre soin de soi-même.

O Magazine
The Oprah Magazine
B.P. 7831
Red Oak, IA 51591
www.oprah.com
Un fantastique magazine de croissance personnelle à l'intention des femmes qui se centrent sur l'attention à elles-mêmes et la croissance personnelle.

Semaine 21

APPRENDRE
À ATTENDRE

J'espère que vous entendrez ce que je vais maintenant vous dire.
J'espère que vous l'entendrez jusqu'au plus profond de votre être.
Lorsque vous attendez, vous n'êtes pas à rien faire. Vous faites la chose
la plus importante qui soit. Vous permettez à votre âme de grandir.
S'il vous est impossible de demeurer calme et d'attendre, il vous est
impossible de devenir ce que Dieu a voulu que vous soyez.

SUE MONK KIDD, *WHEN THE HEART WAITS [QUAND LE CŒUR ATTEND]*

Vous êtes-vous déjà senti frustré ou découragé alors que vous attendiez qu'une chose à laquelle vous teniez vraiment se produise? L'éclosion d'une certaine relation? L'envol de votre entreprise? L'arrivée d'un nouvel enfant dans votre vie? Peut-être des incertitudes quant à l'avenir vous ont-elles contraint à l'attente, comme si quelqu'un avait appuyé sur le bouton «garde» de votre vie.

Je n'ai jamais beaucoup aimé attendre. Comme bon nombre d'entre nous, je veux tout obtenir pour hier. Et pourtant, lorsque je passe ma vie en revue, les moments où j'ai eu à attendre ont été parmi les plus signifiants et les plus importants de ma vie. De manière générale, chaque période d'attente a été le signe d'un tournant dans ma vie — une période de croissance spirituelle qui débouchait sur quelque chose de mieux. Et c'est au cours de ces moments de transition que j'ai eu l'occasion de me retrouver profondément et de contacter une force de caractère que je croyais absente.

Même si l'attente peut sembler interminable, dites-vous qu'il est possible que ce soit exactement ce cevous avez à *vivre* pour vous préparer à la prochaine étape de *votre* vie. Considérez cette attente comme une occasion de communiquer avec votre sagesse intérieure comme jamais auparavant, une occasion de vous connaître encore mieux. Lorsque vous attendez, vous pouvez en profiter pour passer plus de temps à écrire vos pensées personnelles, à examiner plus profondément les dimensions de votre santé émotionnelle et physique, ou encore à frapper des oreillers ou pousser des cris et des hurlements. Faites tout ce qui est nécessaire pour bien profiter de cet inconfort, sachant que si vous utilisez ce temps avec sagesse, vous renforcerez votre pouvoir personnel, le genre de pouvoir que rien ni personne ne pourra jamais vous donner.

Et rappelez-vous, même si l'attente est en soi un périple personnel, il n'est pas nécessaire d'attendre dans l'isolement. Partagez vos peurs, vos préoccupations et vos frustrations avec les êtres chers en qui vous avez confiance et qui peuvent vous soutenir dans votre attente. Ce faisant, vous constaterez un autre avantage de l'attente : une relation encore plus profonde avec ceux que vous aimez.

PASSEZ À L'ACTION

Profitez du temps où vous attendez. S'il y a un aspect de votre vie où vous vous sentez en attente, décidez consciemment cette semaine de vous arrêter pour considérer cette période d'attente. Ne tentez pas de changer les choses, de forcer le déroulement des événements, ou d'exercer un contrôle sur les circonstances. Au lieu de cela, installez-vous tranquillement et soyez disponible aux messages qui viennent de l'intérieur. Utilisez ce temps pour vous détendre et vous reposer. Lorsque le temps sera venu et que vous serez prêt à bouger, vous serez heureux de l'avoir fait.

Attendez pour voir…

RESSOURCES

When the Heart Waits [Quand le cœur attend]
par Sue Monk Kidd
(New York : HarperCollins, mars 2000)
Un livre à lire absolument pour tous ceux qui vivent une période de transition et qui cherchent à demeurer centrés et inspirés spirituellement.

Contemplative Living [L'art de vivre dans la contemplation]
par Joan Duncan Oliver
(New York : Dell Books, 2000)
L'une des meilleures ressources que j'aie consultées sur les diverses manières de trouver la paix et le bien-être dans l'immobilité.

A Guide to Monastic Guest Houses [Un guide des gîtes monastiques]
par Robert J. Regalbuto
(Harrisburg, Pennsylvania : Morehouse, 1998)
Ce livre en est maintenant à sa troisième édition revue et augmentée, et offre de l'information détaillée sur l'hébergement disponible dans l'ensemble des États américains et des provinces canadiennes. Illustrations, descriptions, notes historiques, indications de trajets, coûts et cartes routières complètent l'ouvrage.

Transitions [Transitions]
par Julia Cameron
(New York : J. P. Tarcher, 1999)
Prières et affirmations pour une vie en mutation.

Semaine 22

ACCOMPAGNEMENT, CONNAISSANCE ET CONVICTION

Je suis absolument terrifiée chaque instant de ma vie,
et jamais la peur ne m'a empêchée de faire quoi que ce soit.
GEORGIA O'KEEFE

Quelle est la chose que vous devriez changer immédiatement pour améliorer votre qualité de vie et dont vous avez le plus peur ? Pour beaucoup d'entre nous, la peur est une compagne fidèle sur le chemin de l'évolution. Peur de l'inconnu. Peur des gestes ou de la réaction des autres. Peur de la souffrance ou de l'humiliation. Peur de perdre. Si nous voulons faire de notre vie quelque chose de grand, il nous faut régulièrement confronter nos peurs ; cela fait tout simplement partie de l'expérience humaine. La manière dont vous utiliserez votre peur, toutefois, influencera le cours de votre vie. Si vous laissez la peur vous arrêter, vous n'aurez cesse de vouloir et d'espérer une vie meilleure.

La peur peut se révéler très stimulante pour passer à l'action, une force de motivation puissante pour entreprendre des changements. Même si la peur constitue parfois un avertissement de danger, la peur à laquelle je fais allusion est celle qui se déclare lorsque vous êtes sur le point d'entreprendre une action qui correspond à une étape importante de votre croissance personnelle ou à une étape dans l'atteinte de vos objectifs. Plus vous réussirez à faire face à la peur, plus votre vie deviendra extraordinaire.

Dans le cadre de mon travail en tant que conseillère, et aussi en tant que femme qui régulièrement se pose le défi d'accomplir des choses qui lui font peur, j'ai appris beaucoup de choses sur la manière de faire face aux peurs. Je me suis rendue compte qu'avec les trois éléments suivants bien maîtrisés, je pouvais surmonter à peu près n'importe quoi :

1. *L'accompagnement.* Nous sommes trop nombreux à tenter d'accomplir seuls des choses qui nous font peur. À mon avis, ce vieux modèle du « Je n'ai besoin de personne » est dépassé et ne fonctionne plus (et n'a jamais très bien fonctionné de toute façon). Être seul pour affronter la peur ne fait qu'augmenter le risque de s'embourber, de reculer ou de demeurer sur place. Dès l'instant où vous ressentez la peur, arrêtez-vous et voyez s'il n'y a pas quelqu'un de votre entourage qui pourrait vous soutenir et demandez-lui de vous aider.

2. *La connaissance.* Parfois, lorsque nous avons peur d'avance, c'est qu'il nous manque quelque chose : de l'information, un angle de regard, ou les mots justes pour exprimer ce que nous ressentons. Par exemple, imaginons que toute votre attention soit consacrée à mettre sur pied votre entreprise et que vous ayez une crainte de vendre vos produits ou vos services. Lorsque vous vous posez la question à savoir ce qui vous manque, vous découvrez que votre incapacité à passer à l'action repose sur la peur du rejet, laquelle prend bien plus de place que votre désir de réussir. Dans votre recherche de mieux comprendre comment faire face à cette peur, vous consultez des livres, vous parlez à des représentants chevronnés, ou vous assistez même à des séminaires sur la vente. Une fois toute cette connaissance bien en main, vous vous apercevez que votre peur commence à diminuer. Mais elle ne s'en ira pas nécessairement complètement, et c'est pourquoi vous passerez à l'étape suivante…

3. *La conviction.* Une fois bien entouré et bien informé, la dernière étape consiste à faire le Grand Saut. Eh oui. Cela ressemble à sauter du haut d'un tremplin dans une piscine d'eau froide. Passer à l'action

malgré la peur aide à développer la confiance en l'ordre divin et en vous-même. Voilà la clé. Apprendre à croire que vous pouvez faire face à n'importe quoi est beaucoup plus important que de réussir. Et la conviction ne peut émerger que lorque nous passons à l'action sans connaître le résultat final. Alors, à partir de maintenant, lorsque vous aurez à entreprendre quelque chose qui vous fait peur et que vous commencerez à douter de vos capacités, soyez accompagné, obtenez les connaissances et recherchez la conviction!

PASSEZ À L'ACTION

Cette semaine, faites l'inventaire des choses que vous évitez de faire parce que vous en avez peur, et choisissez l'une d'entre elles. Ensuite, suivez les étapes ci-dessus et faites-vous le pari d'obtenir le soutien dont vous avez besoin de manière à pouvoir passer à l'action une fois pour toutes.

Rappelez-vous : chaque pas pour surmonter votre peur, aussi petit soit-il, peut faire une grande différence. Par exemple, si vous devez faire un discours et que vous avez peur de parler en public (l'une des peurs les plus courantes), vous pourriez vous préparer en enseignant à l'école du dimanche ou en lisant un bon livre sur le sujet (*Be Heard Now [Soyez entendu immédiatement]* de Lee Glickenstein est selon moi l'un des meilleurs ouvrages sur le sujet.)

L'action que j'ai peur d'entreprendre est :

_____

Les amis qui peuvent m'accompagner sont :

_____

Les connaissances que je dois acquérir sont :

_____

L'action que j'entreprendrai cette semaine est :

_____

RESSOURCES

Starting from No — Ten Strategies to Overcome Your Fear of Rejection and Succeed in Business [On commence par dire non — Dix stratégies pour surmonter votre peur du rejet et du succès en affaires]
par Azriela Jaffe et Pam Lontos
(Chicago, Illinois ; Dearborn, 1999)
L'un des meilleurs livres que j'aie lus sur la peur du rejet et la manière de surmonter cette peur.

www.womanlinks.com
Un merveilleux groupe de femmes conçu pour soutenir les femmes — liste de discussion, ressources et aide.

Be Heard Now [Soyez entendu immédiatement]
par Lee Glickstein
(New York : Broadway Books, 1999)
Un excellent guide qui parle au cœur et où l'on apprend à surmonter la peur de parler en public.

I Know Just What You Mean : The Power of Friendship in Women's Lives [Je sais exactement ce que tu veux dire : La puissance de l'amitié dans la vie des femmes]
par Ellen Goodman et Patricia O'Brien
(New York : Simon & Schuster, 2000)
Un regard intime sur la puissance de l'amitié.

DÉVOILEZ VOS RÊVES AU GRAND JOUR

*Si vous pouvez formuler un souhait,
c'est que vous avez aussi la capacité de le réaliser.*
RICHARD BACH

L e sujet de cette semaine m'a été inspiré par la réaction que j'ai obtenue lorsque j'ai partagé avec la communauté en ligne de mes lecteurs mon idée de créer une retraite de quatre jours. Depuis des mois j'avais en moi le désir de partager les fruits de mon travail dans un environnement plus intime, avec un groupe de gens intéressés à laisser tomber le rythme effréné de leur vie pour apprendre à vivre consciemment durant l'année suivante. Réaliser tout cela dans un cadre naturel magnifique, tout en profitant de services de massothérapie et d'une nourriture succulente, me semblait être un acte extraordinaire d'extrême attention à moi-même et, je suppose, trop beau pour être vrai.

Parce que ce désir était important pour moi, je le gardais bien à l'abri et ne lui avais jamais permis de vivre au grand jour. Bien sûr, j'en ai parlé à des amis et des collègues et j'ai même conçu le programme de cette retraite, mais je m'étais toujours empêchée d'aller plus loin. Pour dire la vérité, je ne voulais pas être déçue si jamais le projet ne fonctionnait pas. Eh bien, tout cela changea lorsqu'un grand ami m'a gentiment, mais fermement, rappelée à l'ordre en me mettant au défi de dévoiler mon idée au grand jour «juste pour le plaisir» de voir ce qui arriverait. Heureusement qu'il y a les grands amis. Imaginez ma surprise lorsque la boîte de réception de mon courrier électronique s'est remplie de messages de lecteurs enthousiasmés disant : «Oui, j'aimerais en savoir plus!» Quelle importante leçon!

Combien de fois avez-vous gardé secrets vos désirs les plus chers — vous savez, cette chose dont vous rêvez et dont vous ne parlez à personne? Le genre de rêve qui semble trop beau pour être vrai? Y a-t-il une chose que vous rêvez de faire, d'être ou d'offrir, et qui demeure constamment en veilleuse? Peut-être rêvez-vous de jouer au théâtre dans votre localité, de démarrer une nouvelle entreprise, d'apprendre à danser, de voyager pour le travail, ou d'écrire un livre. Qu'est-ce qui *vous* empêche de faire de votre rêve une réalité?

Les choses que nous désirons le plus réaliser semblent être accompagnées du plus grand des risques — le risque d'être rejeté, d'être déçu ou de manquer son coup. Mais si vous jouez de prudence et ne dévoilez jamais votre désir au grand jour, vous risquez quelque chose d'encore plus important — vous vous privez de vivre la joie de l'expression des dons et des talents qui vous sont propres. Pire encore, en ne prenant aucun risque, il y aura toujours cette petite voix intérieure qui vous dira continuellement «si seulement...». Quel gaspillage!

Que se passerait-il si vous décidiez maintenant de laisser de côté la prudence et de sortir votre rêve au grand jour? De l'éclairer de mille feux, d'en faire une priorité et de le partager avec le monde entier? Quelle est la pire situation qui pourrait se produire?

Lorsque la peur fera surface (ce qui arrivera probablement), rappelez-vous seulement que déception, rejet et échec n'ont jamais fait mourir personne — au contraire, cela ne fait qu'éclairer encore mieux la voie vers le succès. Allez-y!

PASSEZ À L'ACTION

Cette semaine, faites quelque chose pour dévoiler votre rêve au grand jour. Partagez votre rêve avec un ami cher ou un collègue en qui vous avez confiance et demandez-lui de vous donner son opinion et de vous accorder son soutien (assurez-vous de lui dire que vous ne voulez que des commentaires *encourageants!*). Faites un pas en direction de ce rêve. Inscrivez-vous à un cours, trouvez un guide, ou faites quelque chose pour faire bénéficier le monde de votre talent. Vous pourriez être agréablement surpris de voir combien les choses se placent d'elles-mêmes lorsque vous donnez vie à votre rêve.

Mon rêve secret est :

_____

Pour le dévoiler au grand jour, j'aurai à :

_____

Cette semaine, le pas que je ferai sera :

_____

RESSOURCES

Your Heart's Desire *[Votre souhait le plus cher]*
par Sonia Choquette, Patrick Tully et Julia Cameron
(New York : Crown, 1997)
Un guide inspirant pour obtenir ce que vous souhaitez en vous servant de vos habiletés créatrices.

The Seat of the Soul *[Les fondations de l'âme]*
par Gary Zukav
(New York : Simon & Schuster / Fireside, 1999)
Ce livre vous montre comment contacter votre pouvoir en établissant la correspondance entre votre personnalité et votre âme.

Connecting to Creativity *[Entrer en contact avec votre créativité]*
par Elizabeth W. Bergmann et Elizabeth O. Colton
(Sterling, Virginia : Capital Books, 1999)
Un merveilleux petit livre offrant dix clés vers la libération de votre potentiel créateur.

Wishcraft : How to Get What You Really Want *[L'art de réaliser ses rêves : comment obtenir ce que l'on veut vraiment]*
par Barbara Sher
(New York : Ballantine Books, 1986)
Ce livre demeure encore l'un des meilleurs qui soient pour comprendre comment atteindre ses objectifs.

RENCONTRES PARTICULIÈRES

Je ne supporte pas de vivre dans la superficialité des choses.
NANNA AIDA SVENDSEN

Il m'a été donné un jour d'enseigner dans un magnifique établissement bien installé sur les rives de la baie de Long Island. L'un des ateliers que j'animais s'intitulait «Construire une communauté d'âmes». Durant cet atelier, j'ai été touchée par l'authenticité du groupe. Alors que nous discutions de nos souhaits par rapport à la communauté, chaque personne témoignait d'un désir profond d'entrer en contact avec des gens ayant le même regard qu'eux et d'entretenir des rapports plus profonds, plus significatifs.

Bien des gens, semble-t-il, se sentent seuls et isolés dans notre monde d'aujourd'hui dominé par la vitesse et l'électronique. Le besoin d'entrer en contact est une sensation que beaucoup partagent. Chacun des clients avec lesquels j'ai travaillé et pratiquement chaque personne présente à mes conférences s'accordent pour dire qu'ils aimeraient avoir plus de relations «de qualité supérieure» dans leur vie. Il est naturel que ce désir soit si fort. La technologie et les horaires surchargés qui sont l'apanage des dernières décennies ont fait en sorte que les gens se sont de plus en plus perdus de vue. Oui, je sais qu'on nous dit qu'au contraire, le courrier électronique et Internet nous réunissent, mais je n'ai jamais entendu personne dire des choses telles que : «Mon désir serait de recevoir davantage de messages électroniques de la part de ceux que j'aime.» J'entends plutôt des gens dire qu'ils aimeraient passer plus de temps avec leurs proches. Ils aimeraient établir des relations de plus grande intimité et avoir l'occasion de partager davantage ce qu'ils sont profondément.

Répondre à ce besoin de s'unir plus profondément aux autres peut s'avérer un véritable défi. Où peut-on trouver ces êtres ayant le même regard que nous? Comment faire pour approfondir une relation déjà existante? Comment surmonter la peur naturelle d'être rejeté ou de perdre quelque chose?

Il faut d'abord se rappeler que chaque fois que nous rencontrons un autre être humain, il s'agit d'une rencontre spirituelle, que nous connaissions cette personne ou non. Lorsque nous demeurons conscient de cette vérité, il devient plus facile d'établir des liens en suivant son intuition et d'ouvrir son cœur. Nous regardons la personne dans les yeux plus longtemps. Nous sourions aux étrangers et nous les saluons. Nous posons des questions plus profondes à ceux qui nous sont chers, en dirigeant la conversation à un niveau plus intime. Et lorsque nous avons ouvert notre cœur, les autres ont plus de facilité à nous aborder.

Si vous souhaitez vivre des relations plus spirituelles, alors renforcez votre capacité à établir des liens. Soyez présent aux autres. Ralentissez et prenez le temps de vous rencontrer. Cessez ce que vous êtes en train de faire lorsqu'un ami vous parle au téléphone et accordez-lui votre attention. Organisez votre horaire chargé de manière à prévoir du temps de qualité avec votre famille. Lorsque vous êtes en compagnie de vos proches, n'hésitez pas à ramener la conversation à un niveau plus profond en posant des questions plus profondes. Par exemple, demandez-leur directement quels sont leurs rêves ou ce qu'ils espèrent en secret dans leur vie. Cela vous aidera à passer d'une conversation superficielle et ennuyante à un échange plus profond.

Il existe une multitude d'occasions d'entretenir des relations profondes. Il vous suffit d'ouvrir les yeux, d'ouvrir la bouche, et surtout d'ouvrir votre cœur.

PASSEZ À L'ACTION

Cette semaine, sortez de votre zone de confort et risquez-vous à établir un lien plus profond avec quelqu'un. Si votre souhait est d'approfondir une relation déjà existante, dites-le directement à la personne concernée. Si votre souhait est de mieux connaître une personne, décrochez le téléphone et invitez-la à dîner. Si votre souhait est d'augmenter le nombre de vos relations, dites-le à trois personnes autour de vous. Rappelez-vous : puisque la plupart d'entre nous partageons le même désir, lorsque vous poserez un geste, il y a de bonnes chances que l'on vous réponde.

La (les) personne(s) avec laquelle (lesquelles) j'aimerais approfondir ma relation est (sont) :

_____

Deux personnes que j'aimerais connaître mieux :

_____

L'action que j'entreprendrai cette semaine sera :

_____

RESSOURCES

Building a Soulful Community [Construire une communauté d'âmes]
(cassette audio) par Cheryl Richardson
Healing the Whole Self Conference, 5-7 novembre 1999
Sounds True
http://www.soundstrue.com
413, avenue Arthur S.
Louisville, CO 80027
(800) 333-9185

Ed Shea
239, Wilson est
Elmhurst, IL 60126
(630) 530-1060
Coachimago@aol.com
Ed Shea, conseiller en relations humaines, travaille par entrevues téléphoniques auprès de couples et d'individus de partout au pays, et les aide à établir une meilleure communication et à utiliser leur relation intime comme une voie de cheminement vers la croissance et la guérison personnelles.

Generations Family Tree Software [Logiciels d'élaboration d'arbre généalogique Generations]
par Sierra Home
Un moyen amusant et ingénieux de prendre contact avec la famille. Utilisez tous les logiciels dont vous avez besoin pour découvrir et conserver votre patrimoine en documentant les naissances, les décès, les mariages, les épreuves et les victoires ou tout autre événement qui vous relie à vos ancêtres.

http://www.Ancestry.com
Construisez votre arbre généalogique en effectuant une recherche parmi les 500 millions de noms répartis dans plus de 2000 bases de données.

Semaine 25

ÊTES-VOUS UN PIONNIER SPIRITUEL ?

Il y a ceux qui font que les choses arrivent,
il y a ceux qui regardent les choses arriver,
et il y a ceux qui se demandent ce qui a bien pu arriver.
ANONYME

La semaine dernière, j'ai eu le plaisir de passer cinq jours à Boulder, dans le Colorado, l'un des coins les plus magnifiques du pays, en compagnie de personnes hors de l'ordinaire. Je réalisais un enregistrement pour le compte de la compagnie Sounds True, lorsqu'il m'a été donné de voir à l'œuvre ce que j'appellerais des « pionniers spirituels ».

Ma première expérience fut mon arrivée à Coburn House, une très belle auberge de douze chambres, propriété de Sheila et Richard Norris. Sheila et Richard ont accompli un travail exceptionnel en créant un environnement nourrissant sur le plan spirituel, et où la clientèle est traitée avec le plus grand respect et une attention toute particulière. De l'affiche invitant les visiteurs à enlever leurs chaussures avant d'entrer jusqu'à la suggestion de réutiliser les serviettes par souci de protection de l'environnement, Richard et Sheila n'hésitent pas à sortir des sentiers battus pour créer une entreprise à la hauteur de leurs valeurs personnelles.

Ma deuxième expérience fut la visite des studios de Sounds True et la rencontre de Tami Simon, la présidente de l'entreprise, et son équipe. Sounds True est une société d'enregistrement qui se consacre à la diffusion de la sagesse spirituelle à travers le monde. Tout comme Richard et Sheila, Tami et son équipe ont à cœur de créer un environnement qui favorise le respect des valeurs exprimées par leur clientèle, la collectivité et chacun des membres de l'équipe. Chez Sounds True, l'aspect relationnel passe avant celui du profit et à cause de cela, l'environnement de travail devient un endroit où les gens peuvent exprimer sans crainte leur vie intérieure et leur créativité personnelle. Les deux organisations sont des exemples frappants de la manière dont une entreprise peut très bien réussir tout en respectant les principes fondamentaux et spirituels d'amour, d'intégrité et de respect mutuel.

Tous les pionniers ne sont pas des pionniers spirituels. Certains d'entre eux s'engagent dans des voies jamais encore explorées au détriment des valeurs personnelles, des autres et de l'environnement. Mais les exigences se font de plus en plus grandes. De plus en plus de propriétaires d'entreprises se rendent compte que la *manière* de faire des affaires est tout aussi importante que le profit. La réussite de Coburn House et de Sounds True est la preuve que faire des affaires dans le respect et l'intégrité est une chose sensée sur le plan fiscal, et tant l'une que l'autre entreprise doivent cette réussite au fait qu'elles attirent une clientèle qui partage les valeurs qu'elles expriment.

Nous avons tous la possibilité d'être des pionniers spirituels d'une manière ou d'une autre. Lorsque vous faites passer l'aspect relationnel avant le profit, que vous vivez en respectant vos propres valeurs, et que vous vous préoccupez de savoir en quoi votre contribution peut modifier la collectivité dans son ensemble, vous aussi contribuez à faire une plus grande place aux valeurs spirituelles dans le monde. Être un pionner spirituel n'est pas chose facile. Vous aurez peut-être à défendre vos croyances tandis qu'on doutera de vos capacités mentales. Et vous aurez peut-être à décliner une offre d'emploi ou à refuser un client qui vous demandera de mettre de côté vos valeurs personnelles. C'est toutefois la volonté de faire les choses autrement qui fera de vous une personne hors de l'ordinaire.

Pour devenir un pionnier spirituel, vous devrez faire preuve de courage et d'une force de caractère suffisante pour vous situer hors des sentiers battus et faire face au ridicule, à la critique, ainsi qu'à la peur, à l'insécurité et le doute qui ne manqueront pas de se présenter en cours de route. Vous devrez vous intéresser davantage au respect de votre intégrité et au bien de la collectivité plutôt qu'au besoin d'être reconnu. Et vous devrez vous préparer à dire la vérité, que ce soit face à vous-mêmes ou face aux autres, en laissant votre orgueil de côté pour viser un but plus élevé, celui de devenir un authentique leader, le genre de leader qui fait de sa propre évolution une priorité absolue et qui en bout de ligne traduit ses paroles par des gestes concrets.

Je ne sais si c'est le cas pour vous, mais une chose est sûre, plus ma vie s'accorde à mes valeurs spirituelles, plus j'ai tendance à soutenir les entreprises qui sont gérées par des pionniers spirituels.

PASSEZ À L'ACTION

Cette semaine, je vous invite à observer davantage votre vie avec les yeux du pionnier spirituel en réalisant l'une des actions suivantes :

1. Exprimez votre opinion sur un sujet auquel vous croyez, même si des gens autour de vous pensent que vous n'avez pas toute votre tête.

2. Prenez le risque de dire la vérité même si vous avez peur de le faire.

3. Respectez votre être intérieur en référant un client dont les valeurs ne correspondent pas aux vôtres.

RESSOURCES

Sounds True
413, av. Arthur Sud
Louisville, CO 80027
http://www.soundstrue.com
(800) 333-9185
Si vous avez envie de goûter un peu de sagesse spirituelle, vous pouvez commander le catalogue de l'entreprise en visitant le site Web mentionné plus haut ou en appelant directement à la compagnie.

Coburn Hotel,
Sheila et Richard Norris, propriétaires, Boulder, Colorado
http://www.nilenet.com/~coburn/index.html
Ligne directe : (303) 545-5200
Réservations : (800) 858-5811
Courrier électronique : *coburn@nilenet.com*
Si un jour vous avez la chance de visiter Boulder (et si vous acceptez d'enlever vos chaussures), alors aucun endroit n'est plus indiqué pour pacifier votre âme que le Coburn Hotel.

The Rhythm of Compassion [Au rythme de la compassion]
par Gail Straub
(Charles E. Tuttle Co., 2000)
Avec beaucoup de talent, l'auteure et enseignante Gail Straub indique comment nous pouvons à la fois contribuer à l'évolution de notre âme et à celle de la planète.

Semaine 26

À BAS LA TIMIDITÉ

La vie est courte, il faut la vivre pleinement.

KHRUSHCHEV

A lors que je me promenais à bicyclette au cours d'un week-end, il m'est venu à l'esprit combien les choses semblaient différentes vues du haut d'un siège de bicyclette. Si une ballade en voiture permet de goûter au charme du confort silencieux et de se déplacer rapidement, un après-midi à bicyclette est une expérience très différente où tous les sens sont mis à contribution. Non seulement pouvais-je me promener en admirant le merveilleux paysage qui défilait sous mes yeux et en prêtant l'oreille aux sons du printemps — les porches débordant de glycines, les lilas en fleurs et le cri des mouettes rieuses au-dessus de ma tête — je pouvais aussi me délecter du parfum suave du chèvrefeuille et des roses côtières, et aussi de la bonne odeur des grillades venant de l'arrière-cour des maisons!

Tout en pédalant aux alentours de chez moi, je me suis rappelée, en souriant, l'époque où pendant une année entière j'étais demeurée incertaine quant à la décision d'acheter une bicyclette. Il faut dire que mon indécision tenait à ma timidité et à la peur de l'inconnu. Et si j'achetais une bicyclette qui ne convenait pas et que je regrettais mon achat ? Serais-je encore capable de conduire une bicyclette à 18 vitesses au lieu de trois ? Aurais-je assez d'énergie pour faire des randonnées ? Ma peur de ne pas savoir, de me sentir idiote ou de paraître ridicule m'empêchait de profiter de ce qui était devenu l'un de mes passe-temps estivals favoris.

Avec du recul, il semble un peu ridicule de penser que la timidité était à la base de mon indécision d'acheter une bicyclette. Et pourtant, elle représente bien symboliquement le genre de peur et de doute qui peut nous retenir de profiter des simples plaisirs de la vie. Trop souvent nous nous privons de choses que nous aimerions réellement tenter par peur de paraître ridicule, de se sentir idiot ou de faire une erreur.

Combien de fois vous êtes-*vous* empêché d'essayer quelque chose de nouveau ? Que se passerait-il si vous pouviez du jour au lendemain vous débarrasser comme par magie de toute trace de timidité ? Un petit coup de baguette magique et hop ! adieu la peur d'être jugé, de se sentir embarrassé, ou de paraître ridicule. Quels risques oseriez-vous prendre ? Quelles sont les choses nouvelles que vous tenteriez ? Quels plaisirs vous accorderiez-vous ?

Le temps que nous passons sur cette Terre est tellement précieux. Pourquoi dépenser autant d'énergie à vous retenir de faire ce que vous voulez ? Abandonnez vos résistances, ne soyez plus timide et vivez un peu. Lorsque vous aurez affronté votre timidité, vous serez étonné de constater combien il est facile de s'en débarrasser. Croyez-moi, lorsque j'ai enfourché ma première bicyclette, mon nouveau casque de sécurité dernier cri sur la tête, la peur de paraître ridicule a tôt fait de disparaître.

PASSEZ À L'ACTION

Y a-t-il une chose que vous n'avez jamais osé faire par timidité ? Si vous ne le savez pas, remarquez au cours de la semaine qui vient les moments où la timidité vous empêche de faire quelque chose dont vous avez réellement envie. Que ce soit sourire à un étranger, proposer une sortie à quelqu'un, apprendre le patin à roues alignées, ou acheter quelque chose, faites-vous le pari de faire face à votre timidité et de passer à l'action malgré tout !

La chose que j'ai vraiment envie d'essayer est :

_____

L'action que je poserai cette semaine pour réaliser cette chose est :

_____

RESSOURCES

Feel the Fear and Do It Anyway [Faites-le même si vous avez peur]
par Susan Jeffers
(New York : Fawcett Books, février 1992)
Ce livre propose une approche de pensée positive pour surmonter diverses peurs parmi les plus courantes.

The Permission Slip Book [Le livre des billets de permission]
Special Messages 4U
(603) 659-2079
www.specialmessages4u.com
Ce livre contient 500 billets individuels validant chacune des actions que vous posez ! Chaque billet est perforé et conçu de manière à pouvoir être détaché du livre comme un coupon. Vous pouvez les afficher dans un endroit approprié où vous ou tout autre destinataire pourra le voir.

SE TENIR
DANS L'OMBRE

*On ne doit jamais accepter de ramper
lorsque notre désir est de s'élancer vers le ciel.*

HELEN KELLER

L a plupart des êtres humains cherchent à savoir et à exprimer ce qu'ils sont venus faire sur la Terre, c'est-à-dire le don ou la contribution particulière que nous sommes venus partager ici-bas. Il arrive souvent qu'on me demande mon avis sur la manière dont nous pouvons devenir plus conscient de notre but sur la Terre. Je réponds habituellement ceci : œuvrez à la transformation de votre vie et voyez comment votre contribution personnelle se révélera d'elle-même.

En d'autres termes, faites le ménage dans votre vie, en créant de l'ordre autour de vous et en vous débarrassant de tout ce qui ne vous est plus nécessaire. Observez vos rapports avec les autres, en vous engageant plus profondément envers ceux que vous aimez et en apportant des modifications ou en mettant un terme à des relations qui drainent votre énergie. Remettez de l'ordre dans vos affaires financières, de manière à pouvoir vous assurer d'un soutien adéquat. Et commencez à dire non aux éléments qui ne vous permettent pas de vous respecter physiquement, émotionnellement et spirituellement. Ce sont là des étapes essentielles qui vous permettront d'éliminer les embûches qui vous empêchent de voir clairement ce que vous êtes venu faire ici.

Tout en vous engageant dans des activités qui améliorent la qualité de votre vie, vous pouvez dévoiler le sens de votre contribution personnelle en remarquant les moments où vous vous trouvez dans l'ombre de ceux qui réalisent ce que vous voudriez vous-même réaliser. Permettez-moi de vous expliquer ce que je veux dire.

Vers le milieu de la vingtaine, j'ai œuvré bénévolement (et travaillé ensuite) au sein d'un organisme de bienfaisance du Massachusetts appelé Interface Foundation. Cet organisme était un centre d'éducation globale où des écrivains et des conférenciers réputés tels que Deepak Chopra, Marianne Williamson et Carolyn Myss pouvaient se faire entendre. Dans le cadre de mes fonctions en tant que volontaire, employée et par la suite membre du conseil, j'ai souvent apporté ma contribution en participant à l'élaboration des programmes, à la coordination des événements et à l'organisation logistique, comme par exemple accueillir les conférenciers à l'aéroport. Aujourd'hui, je constate que, sans m'en rendre compte, je me suis tenue dans l'ombre de ceux que j'admirais ou de ceux qui réalisaient ce que moi-même, dans mon for intérieur, souhaitais faire depuis toujours. Me tenir dans l'ombre m'a permis d'apprendre beaucoup de choses sur ce qu'il fallait faire et ne pas faire. Cela a transformé ma vie et a fait de moi ce que je suis aujourd'hui.

L'âme est d'une sagesse infinie. Souvent elle vous mettra en relation avec des gens ou vous placera dans des situations qui sont une représentation de ce que vous êtes venus faire ici. Par exemple, peut-être êtes-vous à l'emploi d'une personne qui effectue le travail que vous aimeriez faire. Ou peut-être représentez-vous le travail créateur de personnes qui s'expriment d'une manière dont vous voudriez vous-même vous exprimer. Peut-être avez-vous des amis qui œuvrent dans un domaine où vous souhaitez œuvrer depuis longtemps ? L'observation des amitiés, des entreprises, des organismes de bienfaisance, ou encore des emplois qui ont été présents dans votre vie, vous donnera peut-être quelques indices sur la direction choisie par votre âme.

Il n'y a rien de mal à se tenir dans l'ombre de quelqu'un. Vous pouvez apprendre beaucoup par ce moyen. Cependant, si vous demeurez dans l'ombre d'une personne assez imposante, il se pourrait que vous ayez de la difficulté à vous imaginer à sa place. Il vous sera peut-être nécessaire de sortir de son ombre et de vous exposer à la lumière de manière à prendre votre juste place au soleil. Je vous invite donc à prêter attention aux ombres sous lesquelles vous êtes peut-être dissimulé. Est-il temps que *vous* avanciez dans la lumière ?

PASSEZ À L'ACTION

Cette semaine, réservez-vous du temps pour vous intérioriser et, à l'aide de votre journal de bord, revoyez les circonstances de votre vie passées ou présentes susceptibles de vous révéler ce que votre âme a voulu vous indiquer. Remarquez le genre de personnes qui vous entourent. Qui avez-vous admiré ? Quel est le type de travail qui vous attire ? Pour vous aider à déterminer quelles sont les expériences que vous aimeriez explorer, prenez note de celles que vous avez soutenues dans le passé ou remarquez le type de clientèle qui est la vôtre actuellement.

Je me suis tenu dans l'ombre de :

_____

Les personnes que j'admire sont :

_____

Je les admire parce que :

_____

Le genre de travail qui m'attire est :

_____

L'action que j'entreprendrai pour sortir de l'ombre est :

_____

RESSOURCES

Callings : Finding and Following an Authentic Life [La vocation : trouver et suivre la voie de l'authenticité]
par Gregg Micheal Levoy
(New York : Three Rivers Press, 1998)
L'auteur décrit la multitude de voies possibles menant à un travail qui respecte votre nature vraie et authentique, et offre une orientation spirituelle et pratique inspirante.

The Alchemist [L'Alchimiste]
par Paulo Coelho
(New York : HarperPerennial, 1998)
Un merveilleux conte fictif sur l'importance d'écouter son cœur et de trouver sa propre Légende Personnelle.

Building Your Field of Dreams [Construire votre champs de rêves]
par Mary Manin Morrissey
(New York : Bantam Books, juillet 1997)
Mary partage dans ce livre sa propre expérience personnelle et se fait le guide, de manière pratique et inspirante, de tous ceux qui espèrent vivre une vie meilleure.

VIVEZ-VOUS DANS L'INTÉGRITÉ ?

*Œuvrez dans la joie et dans la paix, sachant que les pensées justes
et les efforts constants entraîneront inévitablement des résultats précis.*
JAMES ALLEN

Quelle est la clé d'une vie vécue dans l'authenticité et le respect de vos priorités les plus importantes ? L'intégrité. L'intégrité est le fondement sur lequel s'appuie notre vie dans sa plus belle expression. L'intégrité est notre épine dorsale spirituelle. Lorsqu'elle est droite et solide, la vie coule plus facilement. Nous suivons le courant naturel et demeurons en contact avec notre sagesse intérieure (le Maître en Soi), et nous devenons un puissant véhicule de l'inspiration divine. Au fur et à mesure que nous y faisons attention, nous commençons à entendre des messages clairs quant à nos actions futures.

Vivre dans l'intégrité signifie respecter les modèles de vie (les règles de comportement personnel) que nous avons établis pour nous-mêmes. Par exemple, si vous avez comme modèle de vie de « toujours dire la vérité », vous serez franc lorsque vous refuserez l'invitation d'un ami à dîner au restaurant. Au lieu d'inventer une excuse, vous direz la vérité. Ou si vous avez comme modèle de vie de « ne jamais m'approprier ce qui ne m'appartient pas de droit », lorsque le commis du magasin se trompera en vous remettant de la monnaie en trop, vous lui remettrez la différence.

Vivre dans l'intégrité permet de bâtir une épine dorsale spirituelle solide. Lorsque nous négligeons de respecter nos modèles de vie en allant à l'encontre des règles que nous avons nous-mêmes établies, notre épine dorsale spirituelle dévie ou s'affaisse. Lorsque cela se produit, nous avons beaucoup de difficulté à comprendre ce qui nous arrive et, par conséquent, la vie commence à devenir plus difficile. Nos projets ne fonctionnent pas. Nous attirons potentiellement des personnes qui nous poussent aux limites de l'exaspération. Ou encore les portes semblent se fermer continuellement malgré tous nos efforts. Ces événements peuvent devenir alors des signaux émis par l'univers nous indiquant que notre épine dorsale spirituelle — notre intégrité — est peut-être déviée.

Nous sommes tous uniques, et pour cette raison, nous avons tous des modèles de vie différents. Aucun modèle n'est meilleur qu'un autre. L'important est de connaître quels sont *vos* modèles de vie et de les respecter pour faire en sorte que l'inspiration divine soit plus présente dans votre vie.

Pour vivre dans l'intégrité, il vous faut les occasions où vous n'avez pas respecté vos modèles de vie et faire quelque chose pour rectifier la situation. Par exemple, si vous travaillez pour le compte d'une organisation qui tout à coup exige que vous travailliez les soirs et les weekends, et que vous ayez un modèle de vie qui dit que vous prenez tous vos repas du soir en famille, vous aurez peut-être à négocier un arrangement différent avec votre patron ou à chercher un nouvel emploi. Lorsque vous commencez à aligner vos actions par rapport aux règles que vous vous êtes fixées, cela équivaut à vous administrer vous-même un « traitement spirituel » ayant pour effet d'éliminer les nœuds et les déviations qui pourraient empêcher la libre circulation de la sagesse divine.

Voyons encore quelques exemples d'intégrité dans la vie :

- Si vous avez décidé que vous travailleriez seulement avec des clients avec lesquels vous avez des rapports harmonieux, vous refuserez donc de recevoir un client qui vous rend la vie difficile, même si ce client vous offre le double du prix que vous demandez habituellement.

- Si vous avez décidé de n'engager aucune conversation du type commérage, vous demanderez donc à votre voisine de parler d'autre chose lorsqu'elle abordera le sujet de cette mère de famille qui vit à l'autre bout du chemin.

- Lorsque vous avez décidé d'être franc dans vos interactions avec autrui, que la situation soit délicate ou non, vous aborderez la difficulté avec votre sœur de manière directe plutôt que d'éviter la question ou de négliger de répondre à ses appels.

- Si, en tant que leader, vous avez décidé de prendre la responsabilité des actes professionnels de vos employés, vous vous engagerez totalement et tâcherez de trouver une solution immédiatement sans chercher à reporter la faute sur autrui.

La clé qui vous permettra d'entrer dans le courant naturel de la vie et de vivre de manière authentique est de vous assurer de vivre dans l'intégrité. Alors, devenez votre propre chiropraticien spirituel et commencez à vous traiter dès maintenant !

PASSEZ À L'ACTION

Pour déterminer quel est le niveau d'intégrité dans votre vie, répondez aux questions suivantes :

1. Quelles sont les règles de vie que j'ai établies dans ma vie ?

2. De quelle manière est-ce que je respecte ces règles dans ma vie quotidienne ?

3. En quelles circonstances ne suis-je pas fidèle à ces règles ?

Une fois que vous avez répondu, passez à l'action et faites quelque chose pour rectifier la situation.

Une rectification est nécessaire dans les trois situations suivantes :

1. _____

2. _____

3. _____

RESSOURCES

Coach University's Public Personal Foundation Program [Programme de mise en place de fondations publiques et personnelles de l'université des conseillers]
B.P. 881595
Steamboat Springs, CO 80488
(800) 48-COACH
www.coachu.com/pfoundation.htm
Le programme de mise en place de fondations publiques et personnelles est présenté sous forme de classes télévisées à l'intention de ceux qui désirent apprendre à gérer avec facilité les composantes fondamentales de la vie.

Divine Intuition : Your Guide to a Life You Love [L'intuition divine : votre guide vers une vie que vous aimez]
par Lynn A. Robinson
(New York : DK Publishing, 2000)
Ce livre explore des moyens simples de vous aider à recevoir les conseils divins par le biais de la ressource puissante que représente l'intuition.

Radical Honesty : How to Transform Your Life by Telling the Truth [La franchise totale : comment transformer votre vie en disant la vérité]
par Brad Blanton, Ph.D.
(New York : Dell Books, 1996)
Un livre intéressant sur la franchise.

The Children's Book of Virtues [Le livre des vertus à l'usage des enfants]
par William J. Bennett
(New York : Simon & Schuster, 1995)
Un recueil classique regroupant des histoires connues depuis toujours et visant à orienter les enfants vers des valeurs reflétant la noblesse, la gentillesse et la finesse.

The Adults Book of Virtues [Le livre des vertus à l'usage des adultes]
par William J. Bennett
(New York : Simon & Schuster, 1993)
Des contes classiques visant à renforcer les éléments essentiels d'un bon tempérament : le courage, la persévérance, la responsabilité, le travail, l'auto-discipline, la compassion, la foi, l'honnêteté, la loyauté et l'amitié.

Your Life is Your Message [Votre vie est votre message]
par Eknath Easwaran
(New York : Hyperion, 1997)
Ce livre propose des leçons simples illustrant en quoi tout que vous faites influence les personnes autour de vous et en quoi chacune de vos pensées et chacun de vos gestes influencent votre propre vie.

Semaine 29

VIVE L'AUTONOMIE
FINANCIÈRE

*La principale raison pour laquelle les gens éprouvent des difficultés
financières est qu'ils ont passé des années sur les bancs d'école
sans apprendre quoi que ce soit sur l'argent.
Le résultat est qu'ils ont appris à travailler pour de l'argent...
mais n'ont jamais appris à faire travailler l'argent pour eux.*

ROBERT KIYOSAKI

Dans mon livre *Prenez le temps de choisir votre vie*, j'ai traité de l'importance d'assumer la responsabilité de l'état de sa santé financière. J'ai travaillé auprès de mes clients sur des questions reliées à l'argent pendant plus de quinze ans, et après toutes ces années, il me semble clair qu'il existe un lien entre la manière dont nous gérons l'argent que nous possédons et notre capacité d'en faire davantage. Par exemple, il n'était pas rare pour certains clients qui accusaient un retard dans le paiement de leurs factures ou qui continuaient d'accumuler des dettes pour payer les dettes qu'ils avaient déjà contractées, de s'enfoncer dans un cercle vicieux sur le plan financier. Lorsque nous ne gérons pas notre argent de façon adulte et responsable, nous envoyons continuellement un message à notre être que nous ne sommes pas assez compétents pour en gérer davantage.

La première étape menant à l'autonomie financière est de s'occuper des éléments de base. Cela signifie d'effectuer sa conciliation bancaire (ou de payer quelqu'un pour le faire), d'éliminer ses dettes, ou d'épargner sur une base régulière. Lorsque nous faisons face à notre peur ou à notre anxiété par rapport à l'argent et que nous posons des gestes pour améliorer notre santé financière, nous ouvrons la porte à plus d'abondance dans notre vie.

Une fois que vous vous êtes occupé des questions fondamentales et que vous vous êtes engagé sur la voie de l'amélioration de votre situation financière, l'étape suivante est d'examiner si votre argent travaille pour vous. Dans ce chapitre, nous verrons comment aborder sous un angle tout à fait différent la question de la responsabilité financière et de l'accumulation d'une réserve monétaire.

J'aimerais vous poser le défi d'investir plus sérieusement (et plus sagement) dans votre autonomie financière de manière encore plus consciente. Par exemple, vous pouvez tirer profit encore davantage de la puissance de l'intérêt composé. Lorsque vous en venez à constater tous les avantages qui existent à faire de l'argent sur vos placements, et par conséquent de gagner encore plus d'argent, et que vous modifiez votre attitude pour passer de l'attitude « travailler pour gagner de l'argent » à celle de « faire travailler l'argent pour vous », l'idée d'investir prend un tout autre sens.

De nombreuses personnes m'ont écrit pour me parler du livre de Robert Kiyosaki, *Rich Dad, Poor Dad [Papa riche, papa pauvre]*, une merveilleuse histoire contenant un message important. Avec plus d'un million d'exemplaires vendus à travers le monde, Kiyosaki a de toute évidence touché une corde sensible chez une foule de gens qui n'en peuvent plus de se sentir victimes de la toute-puissance de l'argent. Kiyosaki (un millionnaire ayant fait sa propre fortune) écrit ce que toute personne riche sait depuis toujours : lorsque vous vous appliquez à connaître les rouages du monde financier, à accumuler un actif qui travaille pour vous, et à utiliser la puissance de l'intérêt composé, vous faites un pas vers la liberté de vivre votre vie comme *vous* l'entendez.

Alors, dans cet esprit de passer d'une attitude de « J'ai un bon emploi avec un bon salaire » à « Je fais tout ce qui est nécessaire pour parvenir à mon autonomie financière », j'aimerais vous proposer d'examiner trois étapes précises dans ce sens :

1. *Connaissez les rouages du domaine financier et de l'investissement.* Je sais que la plupart d'entre vous êtes très occupés et que l'idée de vous

mettre à l'étude des stratégies de placement ou du fonctionnement de la Bourse peut sembler rebutante. Mais la chose n'a pas à être compliquée. Si l'argent (ou le manque d'argent) exerce un quelconque contrôle sur votre vie, pourquoi ne pas consacrer un peu de temps et d'énergie à cet important aspect de votre vie ? Apprendre à gérer votre argent à votre avantage vous permettra de retrouver votre pouvoir.

Par exemple, vous pourriez commencer par lire le livre de Kiyosaki (qui se lit rapidement), ce qui vous permettra de bien comprendre la différence entre travailler dur pour gagner de l'argent et faire en sorte que l'argent travaille dur pour vous. Cela vous donnera une base solide sur laquelle vous pourrez construire votre autonomie financière. Ne laissez pas la peur, l'anxiété, les croyances dépassées ou la paresse vous empêcher d'acquérir des connaissances sur l'une des choses qui ont le plus de répercussions sur votre qualité de vie. Après tout, le manque d'argent est l'excuse la plus courante pour justifier l'incapacité de certaines personnes de faire les choix de vie qu'ils souhaiteraient. Plutôt que de vous sentir coincé dans un emploi que vous détestez ou de vivre dans un logement ou une maison qui ne vous convient plus, ou encore de vous sentir prisonnier des dettes qui s'accumulent, prenez la décision d'en apprendre autant que possible sur la manière d'utiliser l'argent à votre avantage.

Pour rendre cet apprentissage facile et amusant, achetez un journal du type du *Wall Street Journal* et lisez-le en vous rendant au travail, en observant les nouvelles tendances et les bonnes idées de placement. Ou jumelez-vous à un ami qui se préoccupe également de prendre en main plus sérieusement sa santé financière et lisez un livre par mois (ou écoutez une cassette), et partagez ensuite ce que vous aurez appris. Naviguez sur le Web. Le site Fool.com a mis sur pied une ressource fantastique qui permet aux visiteurs de se renseigner sur une foule de sujets liés au monde de la finance. Vous pouvez vous renseigner sur la manière d'utiliser les services d'une firme de courtage, d'éliminer vos dettes, de prendre votre retraite dans l'abondance, de mener des études sur les marchés boursiers, ou d'investir au nom de vos enfants. Vous pouvez même ouvrir un compte fictif et vous exercer à acheter et vendre des actions en ligne. En vous plongeant dans le monde de la finance pour acquérir des connaissances, vous enverrez à votre être un message encore plus fort disant que cet aspect est important pour vous et que vous êtes capable d'en faire plus.

2. *Élevez vos standards financiers et commencez à épargnez dès maintenant.* Indépendamment du montant d'argent que vous possédez actuellement, commencez à réorienter votre attitude pour passer de la notion de manque à celle d'abondance. Reconnaissez que vous avez le pouvoir et l'habileté dès aujourd'hui d'exercer un contrôle sur votre avenir financier. Au lieu de vous sentir impuissant et esclave de l'argent, ou d'un emploi ou d'une entreprise que vous détestez, faites quelque chose pour modifier la situation.

Il y a à l'intérieur de chacun de nous un gestionnaire financier prêt à passer à l'action. Que vous soyez couvert de dettes, ou que vous ayez tout juste de quoi vivre, ou que vous ayez de l'argent en banque, cessez de concentrer votre attention sur le manque ou la peur et regagnez le contrôle de votre vie en investissant intelligemment de petites sommes, de telle sorte que l'argent puisse travailler pour vous.

Mettez de la monnaie de côté dans un pot et allez déposer cet argent dans un compte bancaire chaque semaine jusqu'à ce que vous ayez accumulé suffisamment pour investir dans un fonds commun de placement. Ou transférez vos placements actuels dans des véhicules plus appropriés (et plus rentables). Assurez-vous que votre argent travaille pour vous. La plus grande force de motivation à l'épargne est de savoir que vous obtenez l'intérêt le plus élevé possible en fonction de votre situation financière personnelle. Lorsque votre argent vous fait gagner de l'argent, vous serez plus enclin à vouloir investir davantage.

3. *Associez-vous à un conseiller financier.* Après avoir répété pendant toute l'année dernière que j'avais besoin d'un conseiller financier, je me suis finalement résolue à prendre rendez-vous. Mon choix s'était arrêté sur un planificateur financier payé par honoraires, et non par commissions, de manière à obtenir des conseils indépendants. Ce planificateur était non seulement un conseiller financier mais aussi un avocat spécialiste de la fiscalité. Cette décision est la plus sage que j'aie jamais prise. Même si je possède de solides connaissances en

matière financière, le fait de rencontrer un conseiller hautement qualifié et expérimenté (une personne dont la personnalité me plaisait et qui me traitait au même titre qu'une associée) m'a beaucoup inspirée et cela m'a donné le goût de consacrer plus de temps à ma santé financière.

Trouver le conseiller financier approprié et examiner votre situation financière sous un angle beaucoup plus large vous donnera une idée de l'éventail des possibilités qui s'offrent à vous sur le plan financier. Par exemple, utilisez-vous la puissance de l'intérêt composé pour gagner plus d'argent ? Le véhicule de vos épargnes vous offre-t-il un rendement maximal ? Faites-vous tout ce qui est possible pour réduire votre fardeau fiscal ? Voilà le genre de questions auxquelles un bon conseiller financier pourra répondre et plus encore. Une fois que vous en aurez appris davantage et que vous vous sentirez accompagné dans votre démarche, vous voudrez vous aussi élever vos standards financiers et passer à une toute nouvelle étape de votre vie.

Prendre davantage soin de votre argent et investir dans votre avenir signifie augmenter votre niveau de maturité et faire face à la réalité qu'un emploi bien payé ne vous apportera peut-être dans l'avenir qu'une situation médiocre sur le plan financier. La croyance qui veut qu'un haut niveau de scolarité et qu'un bon emploi ou qu'une entreprise prospère soient la clé du succès financier à long terme est dépassée et pas nécessairement juste. La croissance de notre économie et l'augmentation de l'inflation feront peut-être en sorte que vous serez contraint plus que jamais auparavant à supporter des conditions de travail ou à occuper un emploi qui ne vous satisfait pas pendant une plus grande partie de votre vie. Et si votre situation est celle du chef d'entreprise dont le revenu dépend de votre ardeur au travail, vous êtes tout autant concerné. Soyez intelligent. Apprenez à faire travailler votre argent pour vous pendant que vous dormez, que vous vous reposez, ou que vous êtes en vacances !

PASSEZ À L'ACTION

Cette semaine, évaluez quelles sont les étapes que vous aurez à franchir pour vous diriger vers votre autonomie financière. Où vous situez-vous sur le chemin de l'autonomie financière ? Devez-vous commencer à épargner ? À transférer des placements ? À trouver un partenaire pour vous soutenir dans vos efforts ? Au fil de vos réflexions sur la manière dont vous pouvez faire travailler votre argent pour vous, prenez un moment pour déterminer quelle sera l'étape à franchir cette semaine. Par exemple, vous pourriez :

1. Prendre rendez-vous avec un conseiller financier.

2. Vous rendre à la bibiothèque de votre quartier et emprunter une cassette réalisée par un expert financier.

3. Transférer votre argent de votre compte bancaire à un véhicule de placement plus rentable.

4. Investir dans le programme 401(k) de votre entreprise.

5. Réduire vos dépenses dans un secteur donné et placer les sommes économisées.

L'action que j'entreprendrai cette semaine pour acquérir des connaissances sur le plan financier sera :

_____

L'action que j'entreprendrai cette semaine pour me diriger vers mon autonomie financière sera :

_____

RESSOURCES

*The Seven Stages of Money Maturity :
Understanding the Spirit and Value of
Money in Your Life [Les sept paliers de
la maturité financière : comprendre la
nature spirituelle et la valeur de l'argent
dans votre vie]*
par George Kinder
(New York : Dell Books, 2000)
Ce livre non seulement donne de l'information sur l'épargne et les placements, mais il est aussi un guide spirituel permettant de comprendre et de surmonter les blocages psychologiques face à l'argent.

Motley Fool Web Site
www.FOOL.com
Un site très intéressant contenant une vaste sélection de renseignements et de ressources sur l'argent et les placements.

**Debt Counselors of America (DCA)
[Association américaine des conseillers
en matière de dettes]**
(800) 680-3328
www.dca.org
Cet organisme à but non lucratif propose une foule de renseignements, de la liste des publications en ligne aux recommandations d'achat de logiciels de comptabilité. On peut visiter le site Web ou téléphoner 24 heures sur 24.

*The Neatest Little Guide to Stock Market
Investing [Le parfait petit guide des
placements à la Bourse]*
par Jason Kelly
(New York : Dutton, 1998)
Un livre simple et convivial contenant tout ce que vous devez savoir sur les placements à la Bourse.

*Rich Dad, Poor Dad [Papa riche, papa
pauvre]*
par Robert T. Kiyosaki
(Techpress, Inc., mars 1999)
Un livre où l'on raconte ce que les riches enseignent à leurs enfants à propos de l'argent et qui n'est pas enseigné aux pauvres et à ceux de la classe moyenne.

**National Association of Personal
Financial Advisors [Association nationale
des conseillers financiers personnels]**
www.napfa.org
355, chemin Dundee ouest, bureau 200
Buffalo Grove, IL 60089
1-888-FEE-ONLY
info@napfa.org

*Dynamic Laws of Prosperity [Les lois
dynamiques de la prospérité]*
par Catherine Ponder
(Devorsse & Co., 1988)
Un excellent livre sur la sagesse d'une pensée axée sur la prospérité.

UN MOMENT D'ARRÊT POUR RÉFLÉCHIR ET SE RÉCOMPENSER

On ne remarque jamais le chemin parcouru ;
on ne voit que ce qui reste à faire.
MARIE CURIE

Alors que nous entreprenons la seconde moitié de cet ouvrage, permettez-vous de vous *arrêter*, de *réfléchir* à tous les changements qui se produisent dans votre vie, et de *récompenser* vos réalisations jusqu'à maintenant. Nous sommes si habitués de passer d'un projet à l'autre, d'un objectif à l'autre ou d'une tâche à l'autre sans nous arrêter et reconnaître les réalisations que nous avons accomplies. Nous avons tous besoin que l'on reconnaisse nos efforts et qu'ils soient récompensés, et la meilleure personne pour faire cela, c'est vous !

Alors, lorsque vous passerez en revue les actions que vous avez entreprises au cours de la première moitié de ce livre, prenez le temps de vous poser les questions suivantes :

1. Quels sont les changements (petits ou grands) que j'ai faits dans ma vie ?

2. Qu'ai-je retiré de ces changements ?

3. Quelles sont mes réalisations ?

4. Quelle est la chose qui me donne le plus de fierté ?

5. Comment la priorité de m'occuper de moi s'est-elle manifestée concrètement ?

6. En quoi ma relation avec moi-même s'est-elle améliorée ?

N'hésitez surtout pas à vous offrir ce temps de réflexion sur vous-même. Installez-vous dans l'endroit que vous préférez pour vous retrouver avec votre âme, allumez une bougie et, dans votre journal personnel, répondez à chacune des questions de manière aussi complète que possible.

En pratiquant régulièrement cet exercice, vous vous aiderez à solidifier votre relation avec vous-même et vous enverrez un puissant message au Maître en Vous disant que vous valorisez et que vous appréciez votre engagement envers l'amélioration de votre qualité de vie. Alors, cette semaine, célébrez votre réussite !

PASSEZ À L'ACTION

Une fois que vous aurez répondu aux questions ci-dessus, vous serez prêt pour la prochaine étape. Récompensez-vous pour tous les changements que vous avez apportés à votre vie jusqu'à maintenant. Que vous vous offriez quelque chose, que vous vous écriviez à vous-même une lettre de félicitations, ou même que vous fêtiez cela autour d'un bon repas entre amis, il est important que vous *fassiez quelque chose* en guise de reconnaissance et d'appréciation de votre engagement envers votre mieux-être.

Les cinq changements les plus importants que j'ai réalisés au cours des six derniers mois sont :

1. _____

2. _____

3. _____

4. _____

5. _____

La manière dont je me récompenserai sera :

_____

RESSOURCES

Proflowers, Inc.
5005, ch. Wateridge Vista
Deuxième étage
San Diego, CA 92121
(800) 776-3569
www.proflower.com
Pourquoi ne pas vous envoyer des fleurs ?

Calyx and Corolla
185, rue Berry, bureau 6200
San Francisco, CA 94107
(888) 88-CALYX
Une autre adresse pour trouver les plus belles fleurs qui soient.

Semaine 31

JOUONS UN PEU

Quand c'est bon, l'excès est une chose merveilleuse.

MAE WEST

Un soir, il n'y a pas longtemps, le temps était très humide et chaud, et plus tard dans la soirée, de violents orages ont éclaté. Une fois l'orage passé, je suis sortie à l'extérieur pour vérifier si le degré d'humidité avait diminué. Au moment où j'ai mis le pied dehors, la sensation de l'air sur ma peau m'a immédiatement ramenée au temps où, enfants, nous courions dehors après la pluie pour patauger dans les flaques d'eau tiède et d'où nous ressortions complètement trempés.

Sans réfléchir, j'ai couru à l'étage demander à mon mari s'il voulait venir avec moi en cette belle fin de soirée pour patauger dans les flaques d'eau tiède. Je dois vous dire que cette attitude n'est pas caractéristique de ma personnalité ; je suis plutôt assez sérieuse d'ordinaire. Mais, heureusement, ce n'est pas le cas de mon mari Michael. Sans la moindre hésitation, il se leva d'un bond et dit : « D'accord ! » Et nous sommes partis à l'aventure.

Tout en pataugeant dans les flaques, je me disais combien j'avais besoin de retrouver ces joies d'enfant pour équilibrer ma nature sérieuse. Besoin de ces moments d'insouciance et d'éternité que les enfants vivent en n'ayant qu'un seul but en tête : S'AMUSER! Les plaisirs simples de l'enfance se perdent si vite...

En marchant dans les flaques, je me suis rendue compte à quel point les activités enfantines sont importantes dans la vie d'un adulte occupé. Alors, je crois bien qu'est venu le moment d'une autre semaine de pur plaisir; qu'en dites-vous? (Non, ne rouspétez pas!) Dans l'esprit d'apporter un peu de gaieté dans votre vie, voici quelques suggestions qui pourront vous aider à réveiller le bambin qui sommeille en vous :

- Procurez-vous une tablette de papier géante et quelques pastels, et prévoyez un moment pour dessiner, en vous servant de vos doigts pour mélanger les couleurs.

- Invitez des amis à dîner et oubliez les ustensiles. Le repas se prendra avec les mains (servez des spaghettis pour encore plus de plaisir).

- Procurez-vous plusieurs pots de pâte à modeler et gardez-les dans votre bureau. Créez un nouveau monstre chaque semaine.

- Allez passer une heure dans la forêt en prenant note de la hauteur des arbres, de la couleur de l'herbe, et de la beauté des pommes de pin, branches et cailloux qui ornent la forêt tels des joyaux.

- Fermez les rideaux, faites jouer votre musique préférée et dansez au milieu du salon.

- Salissez-vous. Allez dehors et enlevez les mauvaises herbes du jardin, plantez un arbre, ou amusez-vous simplement à creuser des trous dans la terre.

- Entrez dans un magasin de jouets et allez vous choisir un cahier à colorier que vous aimez (sentez-vous bien à l'aise de porter des verres fumés et un par-dessus si vous le jugez nécessaire). Conservez le cahier dans votre bureau et entre deux tâches d'adulte, sortez votre cahier pour colorier un peu chaque jour.

- Prenez une heure pour vous asseoir dans l'herbe et chercher un trèfle à quatre feuilles.

- Achetez-vous un cerceau et voyez si vous pouvez encore le faire tourner autour de vos hanches.

- Ayez une conversation sérieuse avec votre chien.

- Portez un tatouage temporaire.

- Rassemblez quelques-uns de vos amis pour le dîner et jouez à la chaise musicale.

- Faites-vous maquiller lors d'une fête foraine ou de quartier.

- En compagnie d'un ami, achetez un melon d'eau et faites un concours pour savoir qui de vous deux crachera les pépins le plus loin.

- Achetez-vous un ourson en peluche et/ou dormez avec un animal en peluche.

- Peignez les ongles d'orteil de votre partenaire.

- Tentez d'imiter le comportement de votre chat pendant quinze minutes.

Voilà le genre de choses que nous devons faire plus souvent, sans autre raison que de vouloir bousculer le quotidien et faire un pied de nez à la vie parfois trop rigide. Lorsque je suis rentrée chez moi, j'avais les pieds noirs de saleté après avoir sauté dans les flaques, et croyez-moi, c'était une sensation tout à fait extraordinaire!

PASSEZ À L'ACTION

Pour certains d'entre vous, s'engager dans une activité du type de celles mentionnées plus haut pourra paraître ridicule ou quelque peu bizarre. Si c'est le cas pour vous, alors, je m'adresse tout particulièrement à *vous*! Choisissez l'une des activités et faites-la quand même. Vous pourriez être agréablement surpris de constater combien le petit enfant en vous apporte joie et créativité dans votre vie.

RESSOURCES

Camp SARK
(415) 546-3742
www.campsark.com/campsark/swwgroups.html
Visitez ce site pour apprendre comment organiser votre propre «Succulent Wild Woman Group or Party» [groupe de femmes qui se réunissent pour vivre un brin de folie et jouir du plaisir des choses], un merveilleux moyen d'entrer en contact avec d'autres âmes avides de plaisirs!

www.murdermysterygames.com
Ce site Web contient un assortiment de jeux pour tous les âges.

ÊTES-VOUS UNE BELLE AU BOIS DORMANT ?

La première muse, c'est la santé.
Et c'est par le sommeil que nous pouvons l'obtenir.
RALPH WALDO EMERSON

L'une des premières choses à faire lorsqu'on veut prendre bien soin de soi est de dormir une bonne nuit de sommeil. Des études récentes indiquent que plus de 40 pour cent de la population américaine manquent de sommeil. Lorsque je demande aux participants de mes ateliers de choisir des moyens possibles pour eux de pratiquer l'attention extrême à soi-même, invariablement quelqu'un mentionne le fait de dormir plus longtemps.

Une bonne nuit de sommeil est l'une des façons les plus importantes de retrouver son énergie et le goût à la vie. Lorsque nous manquons de sommeil, la vie perd de son éclat et peut créer en nous une sensation d'épuisement. Notre corps a besoin des bienfaits d'un sommeil profond *toutes* les nuits. Lorsque nous ne pouvons pas dormir suffisamment, le manque à gagner s'accumule et peut entraîner des malaises dans notre vie de tous les jours. Par exemple, un manque de sommeil pourra entraîner :

- une incapacité à se concentrer durant la journée

- une sensation généralisée de fatigue et d'épuisement

- de l'irritabilité et des sautes d'humeur

- de la dépression ou de l'anxiété

- une plus grande possibilité de souffrir de rhumes, de maux de tête ou d'allergies

- une sensation de vulnérabilité et un manque de confiance en soi

Ces symptômes ne sont que quelques-uns des effets nocifs que peut entraîner un manque de repos adéquat. Malheureusement, trop de gens apprennent à tolérer ces symptômes et finissent ainsi par se nuire eux-mêmes dans leur recherche d'une vie de meilleure qualité.

Prenez un moment et demandez-vous combien d'heures de sommeil *vous* sont nécessaires chaque nuit afin de vous sentir pleinement reposé, alerte et revitalisé. Dans notre culture, nous sommes portés à admirer les gens qui peuvent fonctionner en ne dormant que très peu. Toutefois, avant l'invention de l'ampoule électrique, la plupart des gens avaient besoin de dix heures de sommeil chaque nuit pour se sentir pleinement reposés et disposés à entreprendre une nouvelle journée. Déterminez quels sont vos propres besoins, puis observez si oui ou non vous êtes en mesure de vous reposer suffisamment. Décidez dès maintenant de faire ce qu'il faut pour rétablir cette habitude essentielle pour bien prendre soin de soi. Voici quelques aspects à prendre en considération :

1. Faites de votre chambre à coucher un sanctuaire. Puisque nous passons beaucoup de temps dans la chambre à coucher, assurez-vous qu'elle soit un endroit confortable pour dormir et inspirant spirituellement. L'éclairage est-il tamisé et invite-t-il à la détente ? La chambre est-elle visuellement dégagée ? Sortez de votre chambre les livres, le travail ou les magazines qui traînent et que vous ne lirez pas. Lorsque votre regard tombe sur ces choses à votre réveil, votre cerveau est automatiquement stimulé et passe d'un mode de tranquillité et de

relaxation à un mode plus stimulant et analytique. Assurez-vous que les fenêtres possèdent des stores suffisamment opaques pour empêcher la lumière de pénétrer dans la chambre, que ce soit celle des lampadaires ou du soleil du matin, etc.

2. N'acceptez rien de moins que de dormir dans *le* lit parfait. Lorsque mon mari et moi avons changé notre lit pour un très grand lit de toute première qualité, nous sommes restés bouche bée devant l'impact que ce changement a eu sur notre sommeil. Non seulement nous dormions plus profondément et plus longtemps, mais nous nous sentions beaucoup plus revitalisés et mieux disposés à entreprendre la journée. Soyez prêt à essayer plusieurs matelas avant de prendre une décision, et soyez prêt à payer le prix nécessaire pour obtenir le type de matelas qui vous convienne. Si vous n'avez pas changé votre matelas depuis les cinq dernières années, je vous conseille de vous rendre chez un bon marchand de matelas et d'essayer les nouveaux styles de matelas maintenant sur le marché. Envisagez également d'acheter un matelas de bonne dimension. Si vous n'avez pas besoin d'un nouveau matelas, assurez-vous de tourner celui que vous avez au moins une fois par mois.

3. Changez les draps plus souvent. Ce conseil peut paraître étrange, mais vous seriez étonné de voir combien le corps répond au parfum des draps frais et neufs, sans compter les bienfaits d'une diminution des sources d'allergie.

4. Et puisque nous parlons de draps, à quel point les vôtres sont-ils doux et confortables? Voilà un autre aspect important pour lequel vous ne devriez pas hésiter à dépenser : vous méritez de dormir dans des draps de qualité supérieure. Offrez-vous des draps de soie, de flanelle ou de percale. Pensez confort, confort, confort.

5. Sortez la télévision de la chambre à coucher.

6. Choisissez le moment le plus approprié pour aller au lit, de manière à pouvoir dormir le nombre d'heures qui *vous* convient, et faites-vous le pari de vous en tenir à cet horaire tous les soirs de la semaine prochaine. De cette manière, vous serez en mesure de constater la différence dans votre qualité de vie. (Oui, *tous* les soirs.)

7. Vérifiez la qualité de l'air dans votre chambre à coucher. Si vous vous réveillez avec le nez bouché, un mal de tête, ou la gorge irritée, vous auriez peut-être avantage à utiliser un bon purificateur d'air pour filtrer les bactéries, la moisissure ou la poussière (les filtres HEPA sont les meilleurs). Lorsque mon mari et moi avons fait cela, nous avons remarqué une différence dès le jour suivant.

8. Éviter la caféine plusieurs heures avant d'aller au lit et éviter de manger au moins quatre heures avant de vous coucher.

Si, après avoir procédé à quelques-uns de ces changements, la qualité de votre sommeil ne s'est toujours pas améliorée, je vous conseille de prendre rendez-vous avec un spécialiste du sommeil. En fait, vous pouvez visiter le site Web de la Fondation nationale du sommeil à l'adresse *http://www.asda.org* pour obtenir de plus amples renseignements sur les troubles du sommeil et vérifier votre profil de sommeil.

Bonne nuit!

PASSEZ À L'ACTION

Cette semaine, faites l'inventaire de votre chambre à coucher et examinez vos habitudes de sommeil, puis améliorez un élément parmi d'autres. Vous pourriez sortir la télévision de votre chambre, prévoir une visite chez le marchand de matelas, vous coucher plus tôt, ou vous procurer un nouvel ensemble de draps. Aidez votre corps et votre esprit à se relaxer et à se revitaliser.

En plus d'apporter les modifications nécessaires qui transformeront votre chambre à coucher en lieu sacré du sommeil, j'aimerais vous recommander un exercice de relaxation.

Je trouve cet exercice de « respiration équilibrée » très utile. Cette technique provient du livre de George J. Pratt et Peter T. Lambrou intitulé *Instant Emotional Healing [Guérison émotionnelle instantanée]*. Elle vise à équilibrer le champ énergétique de l'organisme de telle sorte que vous puissiez vous sentir plus profondément détendu.

Au moment où vous êtes prêt à dormir, couchez-vous sur le dos et respirez doucement...

1. Croisez votre jambe gauche sur votre jambe droite.

2. Étendez les deux bras, droit devant vous.

3. Croisez votre poignet droit sur votre poignet gauche.

4. Tournez les paumes de telle sorte qu'elles soient collées l'une contre l'autre et croisez les doigts.

5. Tournez les mains jusqu'à ce qu'elles soient situées devant votre estomac.

6. Continuez de tourner les mains vers l'intérieur jusqu'à ce qu'elles touchent votre poitrine. À cet instant, vos mains, vos bras et vos jambes sont croisés sur la ligne centrale de votre corps.

7. Maintenez cette position et inspirez par le nez en posant la pointe de la langue sur le palais. Expirez par la bouche, en déposant la langue normalement.

Tout en respirant, concentrez votre pensée sur le concept d'équilibre. Vous pourriez visualiser une balance ou une balançoire à bascule, ou répéter sans arrêt, intérieurement, le mot « équilibre ». Faites cet exercice pendant au moins deux minutes.

Outre la pratique de cet exercice de relaxation, je vous invite à compléter ce qui suit :

Les éléments de ma chambre à coucher auxquels je dois apporter des améliorations sont :

1. _____

2. _____

3. _____

Cette semaine, le changement que j'apporterai sera :

_____

RESSOURCES

Good Nights : How to Stop Sleep Deprivation, Overcome Insomnia, and Get the Sleep You Need [Passer de bonnes nuits : comment faire obstacle au manque de sommeil, combattre l'insomnie et obtenir le sommeil dont vous avez besoin]
par Dr. Gary Zammit
(Kansas City : Andrews McMeel Publishing, 1998)
Cet expert réputé des troubles du sommeil offre des solutions pour venir à bout de l'insomnie et du manque de sommeil, et propose des moyens pour obtenir le nombre d'heures de sommeil approprié.

The Sleep Solution : A 21-Night Program to Better Sleep [La solution pour dormir : un programme de 21 nuits pour un sommeil plus réparateur]
par Dr. Nigel Ball et Nick Hough
(Berkeley, Californie : Ulysses Press, 1998)
Pour les trente millions d'Américains souffrant d'insomnie, ce livre clair et concis contient de l'information pratique et offre de l'aide sous la forme d'un programme de vingt-et-un jours menant à l'obtention d'un sommeil réparateur.

American Sleep Disorders Association (ASDA) [Association américaine des troubles du sommeil]
www.asda.org
Il s'agit d'une association médicale professionnelle représentant les praticiens en médecine du sommeil et les chercheurs dans le domaine des troubles du sommeil.

National Sleep Foundation [Foundation nationale du sommeil]
729, 15e Rue N.-O., 4e étage
Washington, DC 20005
www.sleepfoundation.org
Fondée en 1990, cette organisation à but non lucratif fait la promotion auprès du public des éléments relatifs au sommeil et aux troubles du sommeil et soutient l'éducation et la recherche sur le sommeil.

LE GRAND MÉNAGE DU BUREAU

Analysez votre vie en fonction de votre environnement.
Les choses qui vous entourent vous aident-elles à atteindre le succès?
Ou bien vous nuisent-elles dans votre entreprise?

W. CLEMENT STONE

Un jour, j'ai rendu visite à une amie à son bureau dans le haut d'une tour, et cela m'a rappelé le temps où je travaillais dans un bureau renfermé dont la fenêtre donnait sur un immeuble. Durant cette période de ma vie professionnelle, je souffrais régulièrement de maux de tête, de problèmes de sinus et de baisses d'énergie dans l'après-midi. J'étais assise à parler à mon amie, et plus le temps passait, plus je pouvais sentir mon corps se drainer de son énergie. Et lorsque je me suis mise à bâiller à des moments incongrus, j'ai su que j'avais besoin d'air frais.

Puisque bon nombre d'entre nous passons de longs moments dans un bureau chaque jour, il est important de nous assurer que notre environnement de travail ne constitue pas une menace pour la santé. Tout comme un mauvais matelas nous prive jour après jour d'un sommeil réparateur, les conséquences qu'entraîne le fait de travailler dans un environnement malsain peuvent se révéler plus dangereuses avec le temps. Rhumes et grippes plus nombreux, problèmes de sinus, et chutes importantes d'énergie ne sont que quelques-uns des symptômes courants cités par mes clients au fil des ans.

Il est facile d'oublier l'impact que notre bureau peut avoir sur notre santé et notre efficacité au jour le jour. Un bureau désorganisé, mal éclairé, ou dont l'air est vicié peut vous drainer de votre énergie ou, pire, vous rendre malade. Alors, que vous travailliez à la maison, dans un cubicule en entreprise ou dans une suite d'un gratte-ciel du centre-ville, vous voudrez peut-être prendre les éléments suivants en considération :

1. *Votre bureau est-il propre ?* Tout comme il est important de vous débarrasser des piles de papier et de dégager votre espace de travail (rappelez-vous : en cas de doute, à la poubelle !), il est important que votre bureau soit nettoyé régulièrement. Cela signifiera peut-être d'éliminer la poussière et la saleté, de passer l'aspirateur sur le plancher et de laver les fenêtres. Si vous travaillez pour une entreprise qui fait appel à un service d'entretien ménager, ne soyez pas gêné de terminer le travail si votre bureau n'est pas assez bien nettoyé. Que vous le fassiez vous-même ou que vous engagiez quelqu'un pour le faire, un bon nettoyage est toujours de mise pour commencer (et en plus, cela respecte les règles du feng shui !).

2. *Comment est l'éclairage ?* L'éclairage de votre bureau crée-t-il une atmosphère propice au travail ? Vos yeux se fatiguent-ils durant la journée ? Vérifiez l'éclairage près de votre pupitre ainsi que la lumière reflétée sur l'écran de votre ordinateur. Éteignez les néons du plafond. Certaines personnes sont allergiques à certains types d'éclairage fluorescent, ce qui cause des larmoiements ou une irration oculaire. Pour les remplacer, vous voudrez peut-être utiliser une petit lampe de table à éclairage puissant. Envisagez également l'utilisation d'ampoules à large spectre afin d'aider votre organisme à recevoir la lumière du soleil si nécessaire (surtout si vous demeurez à l'intérieur pendant toute la journée ou presque). Modifier l'éclairage ne fait pas qu'améliorer la vision, cela peut aussi modifier l'atmosphère d'un bureau, quel qu'il soit (même un cubicule !).

3. *Et la qualité de l'air ?* La qualité de l'air est un aspect primordial d'un environnement de travail sain. Des études récentes ont démontré

que la qualité de l'air que nous respirons à la maison ou au travail pourrait entraîner plus de problèmes qu'on ne le croit. Si vous travaillez dans un immeuble fermé et ventilé, sans fenêtres (ou dont les fenêtres ne s'ouvrent pas), il y a fort à parier que vous respirez de l'air recyclé. Pourquoi ne pas installer dans votre bureau un petit purificateur d'air muni d'un filtre HEPA?

4. *Êtes-vous à proximité d'une source d'eau pure?* Nous connaissons tous de nos jours l'importance de bien s'hydrater durant la journée, surtout si vous travaillez dans un bureau renfermé. J'ai augmenté ma consommation d'eau en installant un distributeur d'eau juste à côté de mon pupitre. L'investissement (moins de 25 $ par mois) m'a permis d'avoir directement accès à de l'eau pure et fraîche toute la journée. L'eau est une nécessité lorsqu'on veut prendre bien soin de soi au travail.

5. *Votre bureau comporte-il des éléments de confort matériel?* Nous croyons trop souvent qu'un bureau est un «endroit pour travailler» et nous oublions que nous serions beaucoup plus heureux et productifs si nous habitions réellement l'endroit où nous travaillons. Pourquoi ne pas ajouter un peu de confort à ce chez-vous loin de chez vous? Par exemple, intégrez des éléments vivants dans votre bureau — littéralement. Ajoutez une plante à fleurs, un arbre en pot, ou des fleurs coupées. Ajoutez des éléments plus inusités. Un de mes patrons avait une peau de mouton en guise de réchauffe-pieds sous son pupitre. Au cours des mois d'hiver, il entrait dans son bureau, retirait ses chaussures et plaçait ses pieds bien au chaud sous son pupitre. Parmi d'autres éléments de confort matériel, notons entre autres :

- des pantoufles, des chaussures ou des chaussettes confortables

- une chaîne stéréo ou un baladeur pour écouter votre musique préférée

- des bougies, de l'encens ou un diffuseur d'huiles essentielles

- une petite fontaine

- vos œuvres d'art ou photographies préférées

- une affiche « NE PAS DÉRANGER »

- un carillon à installer près d'une fenêtre

- un oreiller confortable pour votre dos

Pensez que lorsque vous créez un espace de travail plus sain, plus agréable, vous investissez dans votre réussite professionnelle. Après tout, une fois que vous avez créé un environnement de travail sain et joyeux, vous serez également plus en santé. Vous aurez plus d'énergie, vous serez plus détendu et de bien meilleure humeur. Intéressant, n'est-ce pas ?

PASSEZ À L'ACTION

Prenez un peu de temps cette semaine pour évaluer chaque aspect mentionné plus haut. Commencez par un aspect et amorcez des changements cette semaine. Si vous n'êtes pas certain de ce qu'il faut faire ou si vous croyez que vous êtes trop occupé, demandez de l'aide. Engagez quelqu'un pour nettoyer votre bureau ou demandez à votre conjoint ou à un ami de venir vous aider.

Les trois actions que j'entreprendrai en vue d'améliorer ma qualité de vie au travail sont :

1. _____

2. _____

3. _____

RESSOURCES

Gaiam, Inc.
www.gaiam.com
(303) 464-3600
Fournisseur de renseignements, de biens et de services aux consommateurs qui valorisent l'environnement, l'économie durable et un style de vie sain. Vous pouvez communiquer avec Gaiam, Inc. pour demander leurs catalogues — *Harmony* et *Innerbalance* — dans lesquels vous trouverez des produits qui vous aideront à créer un environnement plus sain.

The Austin Healthmate Air Purifier [Le purificateur d'air Austin Healthmate]
Phillips Publishing, Inc.
7811, route Montrose
B.P. 59750
Potomac, MD 20859-9750
(800) 705-5559

Stephanie Winston's Best Organizing Tips : Quick, Simple Ways to Get Organized and Get on with Your Life [Les meilleurs conseils d'organisation de Stephanie Winston : des façons simples et rapides de s'organiser et de faire son chemin dans la vie]
par Stephanie Winston
(New York : Simon & Schuster / Fireside, 1996)
Stephanie Winston vous livre tous ses meilleurs conseils pour vous aider à simplifier votre vie quotidienne.

500 Terrific Ideas for Organizing Everything [500 idées géniales pour tout organiser]
par Sheree Bykofsky
(New York : Budget Book Service, 1997)
Ce livre propose des solutions pratico-pratiques pour organiser des horaires, créer des systèmes de classement, redisposer le contenu des armoires, gérer les idées et bien d'autres projets.

www.furniturefind.com
(800) 362-SOFA (7632)
Des meubles de marques réputées livrés chez vous partout sur le territoire continental des États-Unis. À venir prochainement : un encan en ligne de meubles usagés.

Semaine 34

OSER DÉPASSER
SES PEURS

Faites-le même si vous avez peur.
SUSAN JEFFERS

Lorsque Joann et Scott ont décidé d'ouvrir une garderie à l'intention des familles à faible revenu de leur collectivité, ils n'auraient jamais pensé faire face à une crise de dernière minute. Deux jours avant la date limite pour l'achat de la propriété qui devait accueillir la garderie, la banque leur annonce qu'un montant additionnel de 8 000 $ est requis pour compléter le versement initial. Toutes leurs ressources étant utilisées ailleurs, Joann et Scott se sentent pris au piège. Où trouveront-ils l'argent ? Et comment réussiront-ils à réunir une telle somme si rapidement ?

Une fois le choc initial passé, Joann et Scott se rendent compte qu'ils devront faire appel à la collectivité et demander de l'aide (même auprès des membres de la collectivité qui n'ont pas d'enfants). Demander de l'argent était la dernière chose qu'ils voulaient faire et pourtant, s'ils voulaient parvenir à leur but, c'était là leur dernier recours, compte tenu du délai trop court qui leur était alloué.

Demander et recevoir de l'aide est plus difficile qu'on ne pourrait le croire. Demander de l'argent représentait un réel effort pour Joann et Scott. Ils se sentaient mal à l'aise de le faire parce qu'ils retiraient un avantage personnel de la réussite de leur entreprise. Et pourtant, ils devaient dépasser leur peur de la réaction des autres s'ils voulaient respecter leur objectif plus large, c'est-à-dire offrir à la population de leur collectivité une garderie permettant aux plus démunis de chercher du travail pour assurer le bien-être de leur famille. Lorsqu'ils se sont décidés à demander de l'aide, la réponse est venue.

Joann et Scott ont eu plus de facilité à demander de l'aide du fait que leur entreprise servait un objectif plus élevé. Joann et Scott avaient appris depuis longtemps qu'il était important de relier leur succès personnel à une vision plus large. Sans quoi, savaient-ils, leurs réalisations deviendraient ultimement vides et sans aucun sens. Le succès, s'il n'est pas accompagné d'une vision plus large, tombe très vite. Au lieu de vous sentir comblé, vous en voulez toujours plus.

Lorsque vous travaillez pour le bien de la collectivité, il devient souvent plus facile de dépasser vos limites et de faire des choses dans lesquelles vous vous sentez habituellement moins à l'aise. Par exemple, lorsque vous avez à cœur de faire respecter une politique en vigueur à l'école de votre fils, vous aurez peut-être davantage le courage de parler devant une assemblée de parents malgré la peur que vous éprouvez. Ou, si la protection de l'environnement est une chose importante pour vous, vous oserez peut-être aller au-delà de vos petites habitudes pour initier un projet de recyclage dans votre collectivité. Vous ne laissez plus votre peur ou votre inconfort, votre « petitesse », vous empêcher de réaliser votre vision.

La peur de l'opinion des autres est un bon exemple du genre de petitesse qui pourrait vous empêcher de respecter votre vision plus large. Une fois votre vision clairement établie — la manière dont votre contribution ou votre travail est lié au bien de la collectivité — elle pourra vous servir de point d'attache qui vous permettra de rester bien ancré dans vos valeurs les plus importantes. Cela vous permettra de vous élever au-dessus de votre petitesse.

En quoi ce que vous faites actuellement sert-il le monde où nous vivons ? Et, plus important encore, quels obstacles devez-vous surmonter afin de vous engager encore plus profondément ? Si vous ne le savez pas, voyez si l'un des énoncés suivants ne pourrait pas représenter un obstacle sur votre chemin :

- La peur de la réaction des autres

- La peur de l'échec

- La peur d'avoir à assumer trop de responsabilités

- L'incapacité à demander de l'aide

- L'incapacité à recevoir de l'aide

- La peur du rejet

- La peur d'être jugé ou critiqué

- La peur d'être déçu

Nous ne réalisons jamais de grandes choses en étant seul. Que votre vision soit d'être le meilleur parent du monde, de servir votre collectivité ou de contribuer à sauver la planète, vous ne pourrez jamais accomplir de grandes choses en œuvrant seul. Tant que nous avons besoin des autres, nos peurs et nos préoccupations face aux autres nous empêcheront toujours d'avancer.

Commencez dès maintenant à voir comment vous pourriez dépasser vos peurs. Si vous avez peur de l'opinion des autres, faites-vous le pari de faire quelque chose de vraiment osé ou qui ne vous ressemble pas et affrontez directement les conséquences que cela entraînera. Si vous avez de la difficulté à demander de l'aide, demandez quelque chose à dix personnes par jour — votre chemin, du soutien, des renseignements, n'importe quoi — jusqu'à ce que vous vous sentiez plus à l'aise de le faire. Si vous avez peur d'assumer les responsabilités supplémentaires qui accompagnent l'expansion de vos entreprises (et elles sont effectivement plus nombreuses), alors mettez en place les mécanismes de soutien dès maintenant pour y faire face, de telle sorte que vous puissiez aller de l'avant.

La bonne nouvelle dans tout cela est que nous n'avons pas à affronter nos peurs seuls. En fait, avec l'amour et le soutien des autres, nous pouvons dépasser nos peurs et réaliser notre vision beaucoup plus rapidement.

PASSEZ À L'ACTION

Cette semaine, la section Passez à l'action comporte deux volets. Déterminez tout d'abord clairement quelle est la vision qui sous-tend votre travail. Si vous ne savez pas quelle est votre vision, prenez le temps de répondre aux questions suivantes :

De quelle manière mon travail sert-il les autres ?

De quelle manière voudrais-je qu'il serve le bien commun ?

Notez par écrit les réflexions, les impressions et les idées qui vous viennent à l'esprit. Puis, intégrez la réponse dans une seule phrase simple. Par exemple, vous pourriez décider que «Je contribue à l'élaboration d'une société plus saine en élevant mon enfant pour qu'il devienne un adulte aimant et compatissant. » Ou «Je contribue à la protection de la planète en travaillant au centre de recyclage de notre collectivité. » Ne vous en faites pas si votre vision ne s'exprime pas parfaitement ; elle évoluera avec le temps.

Une fois que vous avez accompli cela, déterminez l'une des peurs ou des préoccupations qui vous empêchent peut-être de poursuivre cette vision dans un sens plus large. Lorsque vous en avez une en tête, choisissez une personne de votre collectivité que vous respectez et demandez-lui de vous soutenir lorsque vous aurez à faire face à cette peur.

Ma vision est :

_____

La peur qui pourrait m'empêcher de poursuivre cette vision est :

_____

Cette semaine, je demanderai à _____ de m'aider à surmonter cette peur.

RESSOURCES

The Path : Creating Your Mission Statement for Work and for Life [Le chemin : créer votre énoncé de mission pour le travail et dans la vie]
par Laurie Beth Jones
(New York : Hyperion, 1996)
Un excellent petit livre qui vous guidera à travers le processus d'identification et de réalisation de votre mission personnelle.

The Invitation [L'invitation]
par Oriah Mountain Dreamer
(New York : HarperCollins, 1999)
L'auteure utilise des passages de son poème original paru dans Internet, « Invitation », pour inviter les lecteurs à une vie bien plus authentique et intègre.

Semaine 35

PRÉPARER SON NID

On aura beau parcourir le monde entier et ses plaisirs,
il n'y aura toujours qu'un seul endroit, aussi humble soit-il,
où l'on se sent chez soi.

JOHN HOWARD PAYNE *(TRADUCTION LIBRE)*

Ce chapitre s'inspire d'une expérience que nous avons vécue, mon mari Michael et moi, au cours d'un weekend, alors que nous tentions de trouver un tapis pour notre bibliothèque. Pendant plus de deux années j'avais laissé cette pièce de notre maison inachevée en raison de mon horaire plus que chargé d'écrivaine et de conférencière. Quelle erreur. Une fois le tapis parfait trouvé et installé, je me suis sentie inspirée. En y ajoutant une magnifique lampe antique, mon fauteuil préféré et une bûche dans le foyer, je me suis trouvée bientôt dans un tout nouvel endroit de la maison où je me sentais parfaitement en harmonie avec mon âme. C'est incroyable comme la «beauté» peut nourrir notre âme!

Qu'en est-il de votre chez-vous? Y a-t-il un endroit particulier où vous pouvez vous asseoir en toute quiétude, vous détendre et vous ressourcer spirituellement? Un petit coin dont la beauté vous fait sourire même lorsque vous ne faites qu'y passer? Je sais, je peux déjà entendre certains d'entre vous grommeler (surtout ceux et celles qui ont des enfants) : il peut être parfois difficile de seulement trouver un endroit où il est encore possible de marcher sans trébucher, encore bien moins de s'y installer confortablement. Mais il est important de se rappeler que même un petit élément d'harmonie peut faire une grande différence. De petites modifications apportées à une pièce peuvent tout changer. Par exemple, lorsque je vivais seule en ville dans un petit logement, j'avais accroché une mangeoire près de la fenêtre de ma chambre. Chaque matin je me réveillais au son joyeux des pinsons jaunes ou rouges qui venaient y picorer.

Ouvrir les yeux le matin sur un arbre ou entendre le chant des oiseaux est bien plus inspirant que d'ouvrir les yeux sur une pile de livres non lus à côté de son lit. Pourquoi ne pas se débarrasser des piles de livres et déplacer votre lit près de la fenêtre ? Entendre le clapotis de l'eau d'une fontaine apporte le calme bien mieux que le bruit constant de la circulation dans la rue d'à côté. Ces simples changements peuvent transformer une pièce ordinaire en un havre de paix et de ressourcement. Ne sous-estimez pas la puissance de l'effet de l'environnement sur vous.

PASSEZ À L'ACTION

Cette semaine, donnez-vous la permission de faire quelque chose de spécial qui vous aidera à créer un espace de ressourcement dans votre maison. Par exemple, vous pourriez installer un carillon près d'une fenêtre ou placer un pot de jasmin odorant sur une table tout près. Pourquoi ne pas embaumer la pièce en faisant brûler de l'encens (le parfum de l'encens Blue Pearl Classic Champa est merveilleux) ou suspendre cette image que vous aimez et que vous voulez faire encadrer ? Peut-être y a-t-il un tapis que *vous* aimeriez acheter ? Peu importe ce dont il s'agit, ajouter une plume à votre nid et donner à votre âme un endroit chaleureux et confortable pour se reposer.

- Choisissez un endroit particulier de votre maison.

- Nettoyez-le à fond.

- Examiner l'espace et déterminer les choses que vous voudriez y ajouter (éclairage, accessoires, ou meubles confortables).

- Ajouter un élément cette semaine.

RESSOURCES

Design Views

http://www.designviews.com

Ce site contient une foule de renseignements sur la décoration intérieure, y compris un magazine en ligne et un guide d'achat.

Use What You Have Decorating [Décorez en vous servant de ce que vous avez)

par Lauri Ward

(New York : Perigee, septembre 1999)

Transformez votre chez-vous en une heure grâce à dix principes simples de décoration intérieure, en utilisant l'espace que vous avez, les objets que vous aimez et le budget qui vous convient.

Book of Candles : A Practical and Creative Guide to Using Candles in Your Home [Le livre des bougies : un guide pratique et créatif des bougies à utiliser dans votre demeure]

par Miranda Innes avec la collaboration de Clive Streeter (photographe)

(New York : DK Publishing, 1977).

Pour vous aider à rendre votre environnement plus chaleureux, ce livre présente tous les types de bougies, y compris les bougies en cire d'abeille, les bougies décorées, les bougies de Noël, les bougies flottantes, en plus des nombreux types de bougeoirs.

Semaine 36

L'ABONDANCE
EN TOUTES CHOSES

*L'argent ne peut acheter la tranquillité d'esprit. Il ne peut réparer
les ruptures, ou donner un sens à une vie qui n'en a pas.*
RICHARD M. DEVOS

Si je vous demandais d'évaluer votre sentiment de sécurité actuel dans votre vie, à quoi penseriez-vous en premier lieu? Si vous êtes comme la plupart des gens, vous aurez probablement associé le sentiment de sécurité à votre niveau de confort monétaire. Par exemple, vous pourriez penser à vos placements et vous demander si oui ou non vous en avez suffisamment mis de côté pour subvenir à vos besoins et à ceux de votre famille au moment de votre retraite. Pour ma part, c'est ce que j'ai fait. Pour pouvoir me sentir plus en sécurité, je me suis appliquée à gagner de l'argent et à épargner, en espérant ainsi trouver la tranquillité d'esprit. Malheureusement, mon sentiment de paix et de sécurité ne semblait pas dépendre uniquement de l'ampleur de mon compte de banque. Indépendamment du montant d'argent que je pouvais posséder ou placer, je ne me sentais jamais très en sécurité. J'ai appris depuis ce temps une importante leçon : la clé du véritable sentiment de sécurité ne se trouve pas seulement dans le solde de votre compte d'épargne. Elle se trouve aussi dans le solde d'autres comptes bien différents.

Je me rappellerai toujours d'une conversation que j'ai eue avec mon premier conseiller à propos de la sécurité. Au cours de la conversation, je me rappelle m'être plainte de ne jamais me sentir parfaitement en sécurité peu importe le montant d'argent que je pouvais gagner. Après avoir consacré pas mal de temps à investir dans ma santé financière et à faire grossir mon compte d'épargne, les possibilités de placement étaient plus nombreuses que jamais auparavant, mais je n'avais toujours pas trouvé la tranquillité d'esprit à laquelle j'aspirais. Je voulais savoir si je saurais un jour quand m'arrêter.

Après m'avoir entendue, mon conseiller me donna un conseil d'une grande sagesse. Il dit : «Cheryl, le véritable sentiment de sécurité naît du sentiment d'abondance que tu expérimentes dans *tous* les domaines de ta vie : abondance dans tes relations, abondance d'amour, d'estime de soi, la force de ton rapport avec Dieu, abondance dans la santé, tout cela en plus des réserves financières. Tant que tu n'investiras pas dans tous ces autres domaines, tu éprouveras toujours ce sentiment d'insécurité, peu importe l'ampleur de tes moyens financiers. »

Cette phrase à elle seule a transformé à tout jamais ma vision de la sécurité. Je me suis rendue compte que ma façon de penser datait d'une époque maintenant révolue.

Nous vivons dans une culture dominée par le travail. Notre culture nous pousse à rechercher la sécurité par le biais du travail, en gagnant de l'argent, en économisant et en travaillant encore un peu plus. L'objectif de tout cela est d'accumuler assez de richesses pour pouvoir bénéficier d'un certain confort pendant la retraite. Mais une trop grande attention sur le travail et l'accumulation des richesses crée un problème. Tant que vous croyez que l'argent est la clé du sentiment de sécurité, vous continuez à travailler dur, en négligeant d'investir dans les autres aspects de votre vie. Et si vous ne prenez pas le temps d'investir dans vos relations interpersonnelles, une pratique spirituelle, ou encore dans votre santé émotionnelle et physique, vous n'éprouverez jamais de véritable sentiment de sécurité. Alors, vous continuerez à travailler dur. Vous voyez ce que je veux dire ?

Il est bien certain que l'argent est important : comme je l'ai soulevé dans un chapitre précédent, nous avons tous besoin d'argent pour pouvoir faire les choix qui nous permettent d'améliorer notre qualité de vie. Mais il est tout aussi important «d'effectuer des dépôts» dans d'autres comptes. Par exemple, posez-vous les questions suivantes :

1. Ai-je une réserve constituée d'amis et de parents desquels je me sens aimé et soutenu?

2. Ai-je une réserve de confiance en moi et d'estime de moi-même?

3. Ai-je une réserve de foi et un lien puissant avec Dieu?

4. Ai-je une réserve d'énergie physique?

5. Ai-je une réserve de collègues qui me posent des défis et qui m'inspirent à faire de mon mieux?

Tout comme vous pourriez effectuer des dépôts dans votre compte d'épargne, il est tout aussi important de commencer à faire régulièrement des dépôts dans ces autres comptes. Lorsque vous envisagez la sécurité sous cet angle, vous commencez à vous rendre compte qu'il est tout aussi important de rencontrer assidûment votre meilleure amie que d'effectuer régulièrement des dépôts dans votre compte de retraite. Et que, bâtir une réserve d'estime de soi en établissant vos limites face à quelqu'un qui draine votre énergie, ou en tenant compte de vos besoins, est une chose encore plus importante que de mettre de l'argent de côté en vue de l'achat d'une nouvelle maison.

Il faut du temps et de l'attention pour bâtir des réserves dans chacun de ces domaines. La chose importante est d'augmenter votre niveau de conscience et de réaliser que lorsque vous bâtissez des réserves dans chacun des aspects de votre vie, non seulement vous bâtissez un sentiment de sécurité pour l'avenir, mais vous créez un sentiment de sécurité pour le présent. Et vivre dans le présent en ayant un sentiment de sécurité signifie que vous ferez de bien meilleurs choix qui rendront votre vie encore bien meilleure!

PASSEZ À L'ACTION

Cette semaine, prévoyez du temps pour évaluer l'état de vos différents comptes. Prenez une grande feuille de papier sur laquelle vous créerez plusieurs colonnes. En haut de chacune des colonnes, indiquez de quelle catégorie il s'agit : amour, collectivité, confiance/estime de soi, santé émotionnelle et physique, et ainsi de suite.

Une fois que vous avez donné un titre aux colonnes, inscrivez le «solde» actuel de chacun des domaines. Par exemple, sous la colonne «collectivité», vous pourriez dresser la liste de vos amis intimes et de vos parents; sous la colonne «santé physique», vous pourriez énumérer les choses que vous faites déjà pour la santé de votre corps physique.

Une fois que vous aurez clairement établi ce que vous «possédez», choisissez un domaine dans lequel vous aimeriez investir davantage d'énergie et faites un dépôt cette semaine!

RESSOURCES

Energy of Money [L'énergie de l'argent]
par Maria Nemeth, Ph.D.
(New York : Wellspring, 2000)
Un guide spirituel axé sur la satisfaction financière et personnelle.

Courage to Be Rich [Le courage d'être riche]
par Suze Orman
(New York : Riverhead Books, mars 1999)
Ce livre vous aidera à créer l'abondance dans votre vie matérielle et spirituelle.

Semaine 37

RÉPARER
CE QUI EST BRISÉ

Quand le soleil brille, c'est le moment de réparer le toit.
JOHN F. KENNEDY

Un jour, alors que j'allais retrouver des amis, je me suis retrouvée dans un embouteillage. J'ai donc voulu les appeler pour les avertir de mon retard, mais chaque fois que je composais le numéro, la ligne coupait et ma frustration augmentait, tandis que je me répétais pour la quinzième fois que je devais me procurer un nouveau téléphone.

De petits ennuis de ce genre peuvent nous exaspérer et influer sur notre humeur instantanément. Malheureusement, souvent nous en prenons conscience que lorsque nous sommes en train d'accomplir quelque chose d'important. Par exemple, vous découvrez que vous avez oublié de prendre de l'essence au moment où vous êtes pressé de vous rendre à une rencontre cruciale. Ou, vous avez une grosse journée de travail et, lorsque vous prenez votre ensemble préféré dans la garde-robe, vous vous apercevez que le bouton que vous deviez recoudre manque toujours. Ou encore, les documents à classer s'empilent depuis des semaines (ou des mois) et vous ne pouvez retrouver celui dont vous avez désespérément besoin lors d'un appel téléphonique avec un client.

Par le passé, quand j'ai suggéré de régler ces petits ennuis *avant* qu'ils ne deviennent de plus gros problèmes, on me répondait générale-ment «je manque déjà de temps» ou «j'ai des choses plus importantes à faire». J'ai appris par expérience que d'allouer régulièrement du temps pour régler ces petits ennuis évite non seulement des frustrations énormes plus tard, mais, en fait, permet de gagner du temps et d'être plus productif.

Afin de continuer à progresser dans les étapes pour améliorer votre vie, votre tâche, cette semaine, consistera à vous occuper de ces petits trucs qui vous énervent tant. Y a-t-il quelque chose qui doit être réparé ou remplacé à la maison ou au travail? Certaines provisions sont-elles sur le point de manquer? Accordez-vous une faveur et prévoyez du temps cette semaine pour entreprendre le défi proposé ci-dessous. Vous serez surpris de constater à quel point le temps que vous consacrerez à ces petites choses améliorera votre qualité de vie, puisque les petits ennuis n'auront pas la chance de se transformer en gros problèmes plus tard.

PASSEZ À L'ACTION

Cette semaine, vous devez repérer et éliminer cinq petits ennuis qui vous empestent l'existence. Arrêtez-vous maintenant et demandez-vous où ces tâches exécrables pourraient bien se situer : dans votre voiture, votre bureau, votre garde-robe, à la maison. Si vous avez de la difficulté à trouver des exemples, conservez un bout de papier dans votre portefeuille ou dans votre sac à main et, chaque fois que vous vous heurtez à quelque chose que vous aviez l'intention de faire, prenez-le en note. À la fin de la semaine, je suis certaine que vous aurez recueilli cinq exemples auxquels vous pourrez vous attaquer durant le week-end. Bonne chance!

Les cinq choses que je vais régler cette semaine sont :

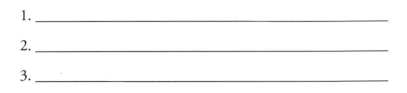

1. _____

2. _____

3. _____

4. _____

5. _____

RESSOURCES

Renovating Woman [Une femme qui rénove],
par Allegra Bennett
(New York : Pocket Books, 1997)
Un guide pour la réparation et l'entretien domestiques… et les vrais hommes (avec un peu d'humour) rempli de conseils judicieux.

1001 Do-It-Yourself Hints and Tips [1001 trucs et conseils pour se débrouiller seul]
(Pleasantville, New York : Reader's Digest, 1998)

Semaine 38

VÉRIFICATION D'AVANT-SAISON

En vous concentrant sur votre temps libre,
vous multipliez votre productivité.
SUSAN CORBETT

L e début de l'automne est le temps de l'année qui me rend toujours un peu triste. J'apprécie tellement le rythme ralenti de l'été que la perspective de journées plus courtes et de températures plus froides me fait souhaiter qu'il s'étire d'un autre mois.

Chaque été, je passe au moins deux semaines dans la beauté de la nature, sans planifier d'activités, sans téléphone ni courriel qui m'éloigneraient de moi-même. Je dors aussi longtemps que je le désire, j'écris de longues pages dans mon journal personnel et je prends des bains de soleil à la plage. Pendant cette «sabbatique pour l'âme», je me rends toujours compte à quel point il est important pour moi de me réserver spontanément une période de temps prolongée pour me reposer l'esprit. À mesure que les jours passent, je me sens de plus en plus en paix et je commence, de façon naturelle, à me concentrer sur moi-même afin de réévaluer mes priorités. Voilà la meilleure manière de terminer l'été.

Pour beaucoup d'entre nous, la fin de l'été signifie le début d'une nouvelle année, le moment de se replonger dans l'action et de reprendre le travail sérieux. Selon moi, cette idée provient de notre jeunesse, où les journées de liberté des vacances d'été étaient remplacées par des horaires à suivre, des cours et des travaux pratiques.

Avant de vous remettre au travail, vous voudrez peut-être allouer du temps pour réévaluer vos priorités et consolider votre engagement à prendre soin de vous-même — la clé d'une transition heureuse et en douceur. Vous pouvez commencer en réfléchissant aux questions suivantes :

- Avez-vous réévalué vos priorités (votre liste de Oui absolus) afin de bien déterminer les cinq choses auxquelles vous voulez consacrer votre temps et votre attention ?

- Avez-vous prévu du temps pour vous-même, sur papier, pour les trois prochains mois (surtout pour le temps des fêtes) ?

- Avez-vous pris des engagements que vous aimeriez modifier maintenant ? N'oubliez pas que vous avez toujours le droit de changer d'idée et qu'il vaut mieux le faire plus tôt que trop tard.

Au moment de redéfinir votre emploi du temps, déterminez les domaines où vous vous sentez débordé et trouvez une solution maintenant. Par exemple, si vous avez des enfants qui doivent être véhiculés pour se rendre à des activités de loisir, prenez contact avec d'autres parents et organisez-vous pour vous partager la tâche. (Croyez-moi, eux aussi seront soulagés !)

Ne vous précipitez pas dans la nouvelle saison tête première. Restez branché à votre corps et à votre âme en vous réservant du temps pour vous-même et en revoyant vos priorités. Ainsi, vous vous assurerez de concentrer votre énergie sur ce qui vous importe le plus.

Lorsque je suis revenue de ma réunion familiale annuelle qui a lieu durant le week-end de la fête du Travail, je souriais en repensant aux visages de mes neveux et nièces. Je les revoyais plonger dans la mer et construire des châteaux de sable sur la plage. Ces souvenirs me rappelaient ce qui compte vraiment et me transportaient déjà au prochain été.

PASSEZ À L'ACTION

Cette semaine, réservez une soirée ou un après-midi pour effectuer une vérification pré-saisonnière :

1. Mettez à jour votre liste de Oui absolus. Faites des listes distinctes pour vos priorités personnelles et professionnelles. Notez-les sur des fiches et gardez-les à la vue.

2. Revoyez votre emploi du temps des trois prochains mois et annulez tout engagement qui vous donne un sentiment d'appréhension ou de regret.

3. Créez-vous un « espace » en prévoyant des pauses hebdomadaires pour prendre soin de vous-même, à partir de maintenant jusqu'au 1er janvier.

4. Choisissez un week-end durant les trois prochains mois pour vous accorder une sabbatique de l'âme.

RESSOURCES

GÎTE TOURISTIQUE

www.bedsandbreakfastsandinns.com
Si vous désirez vous évader durant quelques fins de semaine, ce site Web vous permet de faire des réservations en ligne à des milliers d'endroits partout dans le monde.

www.SelfCare.com
Ce site est conçu pour vous aider à satisfaire vos besoins de santé et de bien-être, et ceux de votre famille.

www.slowlane.com
Une merveilleuse ressource pour les pères qui veulent prendre soin d'eux-mêmes et de leur famille.

VOIR PLUS GRAND

Si vous devez faire des compromis, nivelez par le haut.

ELEANOR ROOSEVELT

Une amie avec qui j'ai récemment pris le thé m'a raconté une histoire personnelle qui m'a inspirée le sujet de ce chapitre. Responsable des ventes dans une grande entreprise d'électronique et appelée à voyager, Sandy m'a conté ce qui suit :

Au cours d'un voyage d'affaires, je suis arrivée à l'aéroport et j'ai découvert que la préposée m'avait, par erreur, assigné un siège dans l'allée centrale, à l'arrière de l'avion, une place inappropriée pour une personne qui, comme moi, voyage souvent.

On m'avait dit que l'avion était beaucoup plus grand qu'il ne l'était en réalité et, arrivée à mon siège, j'ai voulu changer de place. Lorsque je me suis retournée vers l'avant, j'ai vu une longue file de passagers qui attendaient que je range mon bagage dans le compartiment pour pouvoir se rendre à leur siège. Je me suis assise, contrariée et frustrée. Tandis que les passagers continuaient de monter à bord de l'avion, je me suis dit à moi-même : « Un voyage dans un mauvais siège ne te tuera pas, Sandy. Le vol semble complet, il y a beaucoup de passagers et tu ne feras que causer des problèmes en demandant une autre place. » J'ai même essayé la méthode « respire et tente d'utiliser cette expérience pour t'exercer à l'acceptation ». Puis, j'ai cessé d'y penser.

Lorsque l'allée s'est dégagée un peu, j'ai pris mon sac dans le compartiment, puis je me suis dirigée vers l'avant de l'avion. J'ai poliment expliqué mon cas à l'hôtesse et lui ai demandé un meilleur siège. L'hôtesse, qui a été très gentille, m'a demandé d'attendre en retrait. Elle est revenue quelques minutes plus tard, puis elle m'a conduite à un siège côté allée, près de la cloison (une de mes places favorites). J'étais tellement contente de m'être exprimée !

Quelle est la morale de cette histoire ? Ne vous contentez pas de peu.

Cette expérience simple constitue un exemple des règles qui régissent la vie de bon nombre d'entre nous : ne pas faire de vagues, être gentil, penser aux autres avant soi-même, ne pas faire d'histoire, se contenter de ce qui ne nous satisfait pas. Vous est-il déjà arrivé de demander qu'un mets vous soit préparé d'une certaine façon dans un restaurant, et qu'on vous apporte autre chose que vous avez quand même mangé ? Ou peut-être avez-vous renoncé à acheter un lecteur de disques laser pour votre voiture parce qu'il coûtait un peu plus cher que ce que vous vouliez dépenser. Ou encore, peut-être êtes-vous demeuré dans une relation qui ne vous convenait plus afin de ménager les sentiments de l'autre personne.

En fait, nous obtenons toujours ce à quoi nous nous attendons. Quand vous prenez le risque de faire des vagues, de décevoir les autres ou de vous accorder plus que ce que vous croyez mériter, vos critères s'élèvent automatiquement. Je ne vous incite pas à vous comporter en diva ni de façon arrogante, ce qui vous ferait paraître grossier ou insensible. Je ne fais que vous encourager à prendre conscience de vos besoins afin de les traiter (et vous-même) avec le respect et la considération qu'ils méritent.

La prochaine fois que vous vous surprendrez à tenir ce genre de conversation dans votre esprit, rappelez-vous qu'accepter un mauvais siège dans un avion ou un plat inapproprié au restaurant n'est peut-être qu'un petit exemple de ce que vous acceptez dans votre vie. Commencez à voir plus grand !

PASSEZ À L'ACTION

Cette semaine, prêtez attention à ce dont vous vous accommodez dans votre vie. Peut-être voudrez-vous fabriquer une enseigne pour votre bureau ou une fiche à placer dans votre carnet de rendez-vous énonçant :

« Obtenez-vous le mieux ? »

Utilisez cette question pour vous rappeler d'élever vos critères. Qu'il s'agisse de nourriture dans un restaurant, de la qualité d'un article acheté ou de la façon que vous acceptez d'être traité dans une relation, prenez le risque de vous affirmer et de demander ce que vous voulez.

Dans la vie, je me contente de peu quand :

_____

Les trois changements que j'aimerais faire sont :

1. _____

2. _____

3. _____

RESSOURCES

A Woman's Worth [Une femme de valeur]
par Marianne Williamson
(New York : Ballantine Books, 1993)
Un petit livre merveilleux tant pour les hommes que pour les femmes, à propos de la compréhension et de la reconnaissance de sa propre valeur.

Coach Yourself to Success [Dirigez-vous vers le succès]
par Talane Miedaner
(Chicago, Illinois : Contemporary 2000)
Cet ouvrage vous apprendra à élever vos critères et à retirer davantage de la vie.

Semaine 40

UNE PAUSE POUR SE DORLOTER

Voulez-vous devenir une personne
qui participe activement aux bonnes choses de la vie ?

JUDI HOLLIS

C'est, une fois de plus, le temps d'être un peu égoïste. Il est triste de constater que la plupart des gens qui mènent une vie très occupée ont besoin de se faire rappeler de prendre le temps de s'offrir le cadeau de s'occuper d'eux-mêmes. C'est le moment d'accorder une faveur à votre corps, à votre âme et à votre esprit. Choisissez l'une des options de la liste ci-dessous ou l'une de vos gâteries préférées et réalisez-la cette semaine :

Vous pouvez :

1. Prévoir un massage d'une heure et demie ;

2. Vous offrir une manucure ou une pédicure (les hommes aussi !) ;

3. Prendre le thé, un après-midi, avec une personne que vous appréciez ;

4. Passer une soirée romantique dans une auberge confortable ;

5. Prendre un bain chaud au milieu de la journée et lire un bon livre ;

6. Débrancher le téléphone et passer l'après-midi ou la soirée au lit à regarder deux de vos films favoris ;

7. Prendre congé pour votre bonne santé mentale ;

8. Faites une activité spéciale avec vos enfants, par exemple vous déguiser pour le souper.

Si vous vous dites en lisant ce chapitre : « je me gâte déjà beaucoup », c'est merveilleux ; vous êtes en avance. Élevez maintenant la barre et effectuez quelque chose de mieux encore.

Si vous ne savez pas exactement quoi faire, posez-vous la question suivante :

« Quel genre de cadeau me ferait plaisir ? »

Quand vous entendez la réponse, écrivez-la et réalisez-la.

PASSEZ À L'ACTION

Après avoir lu ce chapitre, ne vous contentez pas de dire « voilà une bonne idée ». Téléphonez aussitôt pour prendre un rendez-vous.

RESSOURCES

Cinematherapy [Cinémathérapie]
par Nancy Peske and Beverly West
(New York : Dell, 1999)
Un excellent guide pour les femmes qui recherchent des films qui s'accordent à leur humeur.

The Woman's Comfort Book [Le livre du confort de la femme]
par Jennifer Louden
(San Francisco : Harper, 1992)
Ce livre contient une grande quantité d'idées pour prendre soin de soi.

Simple Abundance : A Day Book of Comfort and Joy [L'abondance simple : un guide pour le confort et le bien-être au quotidien]
par Sarah Ban Breathnach
(New York : Warner Books, novembre 1995)
Un guide pratique suggérant des méditations et des exercices pour tous les jours de l'année, afin d'aider les femmes à faire le ménage dans leur vie et à se débarrasser des parasites mentaux.

Associated Bodywork & Massage Professionals (ABMP)
28677, route Buffalo Park
Evergreen, CO 80439-7347
(800) 458-2267
www.abmp.com
Pour obtenir de l'information sur les bienfaits du massage, du culturisme et des thérapies somatiques et pour trouver des praticiens.

American Polarity Therapy Association (APTA)
2888, rue Bluff, suite 149
Boulder, CO 80301
(303) 545-2080
www.polaritytherapy.org
Cet organisme donne de l'information sur l'étude et la pratique de la polarité.

The Essentials of Yoga [Les rudiments du yoga]
par Dinabandhu Sarley, Ila Sarley, Institut Omega
(New York : Dell Books, 1999)
Un excellent livre sur le yoga, de la collection Âme, Corps et Esprit de l'Institut Omega.

Yoga Journal for Health & Conscious Living [Journal du yoga pour vivre en santé et en pleine conscience]
B.P. 469088
Escondido, CA 92046
(800) 600-9642
Ce magazine bimestriel indépendant fournit de l'information pertinente et à jour sur le yoga et d'autres sujets s'y rapportant. Abonnement : 21,95 $ pour un an (6 numéros).

Semaine 41

PRENDRE SOIN DE SOI AU TRAVAIL

*Vous faites votre premier pas vers la réussite
quand vous refusez de rester prisonnier du milieu
où vous vous êtes retrouvé au départ.*

MARK CAINE

Récemment, j'ai reçu un courriel d'une lectrice qui, après trois mois de repos, s'était vu offrir un nouvel emploi dans une compagnie extraordinaire. Elle et ses patrons reconnaissaient que le poste convenait parfaitement à ses talents, à son niveau de compétence et à ses valeurs. Les gens de l'entreprise se montraient très enthousiastes qu'elle se joigne à leur équipe. Cependant, elle se sentait nerveuse à l'idée d'aller de l'avant. Elle se demandait comment cette transition, qui, selon elle, exigerait un rythme accéléré et un horaire chargé, allait influer sur son mode de vie sain et équilibré. Mon conseil a été très simple : puisque c'est vous qui décidez, instaurez de nouvelles règles.

Que vous commenciez un nouvel emploi, que vous exploitiez votre propre entreprise, ou que vous soyez déjà employé dans une compagnie, vous pouvez décider comment vous voulez travailler. Prendre soin de vous-même pour devenir plus productif et plus efficace peut être votre priorité, ou vous pouvez continuer de croire que de travailler soixante heures par semaine à un rythme effréné est la clé du succès.

Même si plusieurs buts peuvent animer une entreprise, l'objectif premier demeure celui de gagner de l'argent. C'est un fait. Afin de réaliser ses objectifs et de conserver ses employés, l'entreprise doit augmenter son profit de façon régulière. C'est pourquoi la plupart des dirigeants de compagnies s'inquiètent lorsque leurs employés commencent à soulever le sujet de l'équilibre entre le travail et la vie personnelle. Ils pensent à tort qu'en soutenant des stratégies de bien-être au travail, ils favoriseront la paresse, l'égoïsme et le ralentissement de la productivité. Cela peut s'avérer le cas chez certains employés, mais l'expérience m'a prouvé que les employés les meilleurs et les plus intelligents finissent toujours par donner de meilleurs résultats.

C'est un mythe de croire que nous sommes plus productifs en travaillant de longues heures à un rythme effréné. De nos jours, la plupart d'entre nous savons que le travail excessif et la tension causent bien des maux, à partir du manque de créativité jusqu'aux maladies liées au stress qui diminuent l'efficacité. Mieux s'occuper de soi est donc logique dans le cadre du travail. Si vous ne me croyez pas, tentez l'expérience suivante. Au cours des trente prochains jours, appliquez certaines des règles énumérées ci-dessous et voyez ce qui se produira. Adoptez-en quelques-unes et mettez-les en pratique. Non seulement découvrirez-vous que vous accomplissez davantage de travail, mais vous aurez plus de temps pour vous.

NOUVELLES RÈGLES
POUR LES ENTREPRISES DU XXIᴱ SIÈCLE

1. Chaque jour, je prends mon repas du midi et j'effectue quelque chose qui n'est pas lié au travail. Par exemple, je vais marcher à l'extérieur du bureau, j'écoute une cassette de relaxation, j'écris mon journal, je lis ou je rends visite à un ami.

2. Je travaille un nombre d'heures raisonnable. La plupart du temps, je commence à _____ et je termine à _____.

3. Je me réserve un temps d'arrêt chaque jour pour prendre du recul, réévaluer mes priorités et m'assurer que je me concentre sur ce qui importe vraiment.

4. Je fais tout ce que je peux pour créer un environnement de travail sain. Je garde mon bureau en ordre et, au besoin, j'utilise un filtre à air et un éclairage en spectre continu. Je conserve une réserve d'eau embouteillée.

5. J'ai une liste de Oui absolus pour le travail (une fiche où sont énumérées mes priorités par ordre d'importance) et je m'y reporte souvent.

6. Je m'exerce à constamment rechercher des moyens de déléguer le travail afin de donner un peu de pouvoir aux autres.

7. Je n'embauche que des personnes très compétentes et talentueuses pour soutenir mes efforts.

8. Je demande à ma famille et à mes amis de respecter mon travail en évitant les appels et les interruptions non essentiels.

9. Je coordonne mon horaire de travail de façon à éliminer les distractions et les interruptions. Par exemple, je prévois des blocs de travail ininterrompus et je ne vérifie mes messages téléphoniques et mes courriels que deux fois par jour.

10. Je n'accepte qu'une charge de travail que je peux accomplir. Lorsqu'on me confie un projet, je m'assure de pouvoir effectuer cette tâche sans sacrifier mon bien-être personnel.

Voyez ces règles comme faisant partie d'une description de tâche du XXIᵉ siècle. Il peut être difficile de les mettre en pratique au début, mais je vous assure que si vous le faites, vous deviendrez plus efficace au travail et plus détendu à la maison. Pour garantir votre réussite, vous pouvez demander à un collègue, à un ami travailleur autonome ou à un partenaire de tenter l'expérience de trente jours avec vous.

Si vous êtes à l'emploi de quelqu'un, planifiez une rencontre avec votre patron pour discuter des avantages que, tous les deux, vous pourriez tirer de cette nouvelle philosophie. Expliquez-lui que vous désirez tenter une expérience et demandez son approbation. Avertissez à l'avance votre patron (et vos collègues) que vous suivrez ces nouvelles règles afin de parvenir à être plus concentré et plus productif durant la journée. Invitez-les à se joindre à vous dans cette expérience, à mesure que vous découvrirez que de prendre soin de soi-même au travail se traduit par d'excellents résultats.

PASSEZ À L'ACTION

Créez votre propre profil d'emploi du XXIe siècle. Transcrivez la liste ci-dessus en l'adaptant à vos besoins. Puis, imprimez vos nouvelles règles et affichez-les sur le mur de votre bureau. Relisez votre liste chaque jour, cette semaine, et constatez l'amélioration de vos journées de travail et de votre vie personnelle au fil du temps.

RESSOURCES

The Heart Aroused *[Le cœur éveillé]*
par David Whyte
(New York : Doubleday Currency, juin 1996)
David montre le pouvoir de la prophétie, de la poésie et de la conscience pour donner une voix et de la force à nos désirs les plus créatifs mais les mieux dissimulés.

Gathering : A Search for Balance and Fulfillment *[À la recherche de l'équilibre et du bonheur]*
par Sandra Finley Doran et Dale Finley Slongwhite
(Nampa, Idaho : Pacific Press, 1999)
Un recueil d'histoires émouvantes portant sur les grands sujets de la vie comme la recherche d'identité, l'éducation des enfants, le mariage, la maladie, les études, la religion, la mort et l'amitié.

The Simple Living Network [Le réseau Simple Living]
http://www.simpleliving.net
Ce site Web offre des outils et des exemples aux personnes qui désirent vraiment apprendre un mode de vie plus conscient, plus simple, plus sain et réparateur.

Simply Living : The Journal of Voluntary Simplicity *[Vivre simplement : Journal de la simplicité volontaire]*
(800) 318-5725
www.simpleliving.com
Une publication trimestrielle qui inspire et encourage les gens à simplifier leur vie. Inclut des histoires originales, des articles et des occasions de constitutions de réseaux.

Take Yourself to the Top *[Rendez-vous au sommet]*
par Laura Berman Fortgang
(New York : Warner Books, 1998)
Un guide de carrières rédigé par une conseillère sensée et talentueuse qui donne une perspective nouvelle sur le succès.

Semaine 42

LES ACCESSOIRES DE LA VIE

La qualité du jour est l'unique dénouement.
ALAN CLEMENTS

Au retour d'une semaine exténuante passée à Londres, j'avais beaucoup de rattrapage à faire. Je devais répondre à de nombreux courriels, terminer un article et lire une pile de courrier. Je me sentais quelque peu débordée et comme je m'apprêtais à me mettre à la tâche, je décidai d'écouter la bande sonore du film *Shine* tout en travaillant dans mon bureau. J'avais beaucoup écouté ce disque lorsque j'avais eu besoin d'une dose d'inspiration lors de l'écriture de mon premier livre.

Aussitôt que la musique s'est mise à jouer, j'ai été étonnée de constater à quel point mon humeur changeait. En quelques secondes, je passai du sentiment d'accablement à la joie. Cette musique familière me transporta directement à une époque où je me sentais énergique et inspirée.

Tout en écoutant le disque, j'ai réfléchi au pouvoir qu'avait la musique de changer l'humeur. Je me demandais pourquoi je ne m'étais pas davantage permis ce plaisir en travaillant.

La musique est un bon exemple d'accessoires de la vie — les choses simples (et souvent peu coûteuses) qui agrémentent l'existence. Tout comme un bijou ou une jolie cravate peuvent rehausser une toilette, les accessoires de la vie enrichissent notre quotidien en stimulant nos sens de manière positive. En fait, nos sens jouent un rôle majeur pour repérer ces types d'accessoires.

Comment pouvez-vous recourir aux accessoires de la vie pour mettre vos sens à contribution en vue d'enrichir vos expériences quotidiennes ? Par exemple, pour augmenter votre plaisir visuel, au lieu de boire votre thé dans votre tasse habituelle, vous pourriez choisir un joli modèle ancien. De l'encens ou des huiles essentielles pour diffuser une ambiance calme dans votre maison ou votre bureau feraient appel à votre sens de l'odorat. Un animal domestique peut s'avérer un bon accessoire de la vie qui stimule vos sens du toucher, de la vue et de l'ouïe, en plus d'offrir sa présence et son affection. Voici d'autres accessoires de la vie :

Des plantes domestiques ou un jardin d'herbes ;

Une belle œuvre d'art inspirante accrochée au mur de votre bureau ;

Des chandelles aromatiques ;

Des lampes à spectre continu qui élèvent votre humeur ;

L'écoute d'une joute de baseball ou de football tout en travaillant ;

Un feu dans la cheminée pendant que vous cuisinez ;

Le port de chaussettes chaudes et confortables pendant que vous travaillez à votre bureau ;

Des fleurs fraîches ;

Une fontaine effervescente ;

Un coussin chauffant pour votre lit ou votre fauteuil favori ;

Des produits capillaires qui dégagent une bonne odeur ;

Une soupe maison qui bout sur le poêle ;

Un distributeur d'eau chaude ou froide dans votre bureau ;

Votre thé préféré ;

Un distributeur d'aliments pour oiseaux dans une fenêtre ;

Du pot-pourri dans votre voiture ou vos tiroirs ;

Des sièges d'auto chauffants.

Il est tellement facile de se laisser prendre par tout ce qu'il y a à accomplir et d'oublier les plaisirs simples. Ainsi, au début de la semaine, arrêtez-vous pour découvrir vos accessoires de la vie préférés. Que pouvez-vous ajouter à votre journée pour améliorer l'atmosphère ou votre humeur ?

PASSEZ À L'ACTION

Lorsque vous prendrez du temps pour trouver vos accessoires de la vie, pensez à ce que vous aimez regarder, écouter, goûter, sentir et toucher. Dressez une liste d'au moins cinq exemples et utilisez-en quelques-uns cette semaine. Remarquez l'influence qu'ils ont sur votre humeur et votre travail.

Mes cinq accessoires de la vie préférés sont :

1. _____

2. _____

3. _____

4. _____

5. _____

RESSOURCES

Aura Cacia Aromatherapy [Aromathérapie Aura Cacia]
www.auracacia.com
Fondée en 1984 dans les monts Trinity du centre-nord de la Californie, Aura Cacia est une importante manufacture d'huiles essentielles naturelles à 100 pour cent et de produits d'aromathérapie de qualité.

CHAMPA INCENSE
[ENCENS CHAMPA]

Blue Pearl
B.P. 5127A
Gainesville, FL 32602
www.BluePearlWorld.com
Écrivez pour recevoir de l'information et un catalogue gratuit.

Aromatherapy : An Illustrated Guide [Guide illustré de l'aromathérapie]
par Clare Walters
(Boston : Element Books, Inc., 1998)
Un livre magnifiquement illustré offrant une présentation documentée des origines et des pouvoirs thérapeutiques de l'aromathérapie. Inclut des conseils pour traiter les malaises et une liste de ressources.

RELAXING MUSIC [MUSIQUE DE DÉTENTE]

David Arkenstone : *Citizen of Time* et *Island*

Enya : *Shepherd Moons* et *Watermark*

Kenny G : *Breathless* et *The Moment*

Loreena McKennit : *Book of Secrets* et *The Mask and the Mirror*

Yanni : *Dare to Dream* et *Devotion : The Best of Yanni*

Van Sickle : *Mother divine*

Steven Halpern

www.peacethroughmusic.com

Semaine 43

LE POUVOIR
DE L'AMOUR

L'amour est une réserve d'énergie sacrée ;
il est comme le sang de l'évolution spirituelle.
PIERRE TEILHARD DE CHARDIN

L'amour est la force divine qui nous unit tous. Comme l'élec-
tricité, l'amour est l'énergie qui circule en chacun de nous.
Nous partageons cette énergie d'amour de plusieurs façons.
Par exemple, prendre la main ou toucher l'épaule d'une personne fait
passer l'énergie d'amour par le toucher. Dire des mots gentils fait
passer cette énergie par la parole. L'usage délibéré de cette force, cette
énergie, donne de puissants résultats prévisibles : les gens sentent votre
amour et sont apaisés.

Il y a quatre ans, j'ai vécu une expérience qui m'a prouvé que la
puissance de l'amour peut résoudre même les situations les plus com-
pliquées. Par un beau jour d'été, je me rendais en voiture au marché
local avec mon ami Max, pour acheter des provisions pour le dîner.
Comme nous passions sur notre rue préférée donnant sur la mer,
nous sommes tombés sur un jeune homme qui reculait d'une entrée
de garage. Je m'arrêtai pour le laisser sortir et constatai avec étonne-
ment qu'il continua de reculer jusqu'à ce qu'il heurte ma voiture.
Puisque le coup n'avait pas été fort, je décidai que cela n'était pas

grave. Puis, je le vis descendre de sa voiture pour venir m'informer que *je* l'avais frappé. Sur ce, il retourna à son auto et se mit à klaxonner jusqu'à ce que les voisins arrivent sur la scène.

Je me tenais près de ma voiture en état de choc lorsque je l'entendis demander qu'on appelle une ambulance pour son «cou blessé». Si Max n'avait pas été là comme témoin de cet étonnante injustice, je me serais probablement demandé si je l'avais réellement *frappé*. Quelques mois plus tard, je me suis retrouvée au milieu d'une poursuite judiciaire — j'étais accusée d'avoir causé de la douleur et de la souffrance ainsi que des blessures ayant occasionné des frais médicaux.

C'est ici qu'entre en scène le pouvoir de l'amour. J'étais en colère. Je me sentais trompée et je voulais faire du mal à ce jeune homme. En fait, je voulais le tuer, au lieu de quoi je tentai autre chose. Je lui ai envoyé de l'amour. J'ai demandé à Dieu de lui envoyer tout ce dont il avait besoin pour qu'il n'ait pas à soutirer ce qu'il avait voulu prendre de façon injuste. Après tout, j'ai compris que s'il devait provoquer cette situation extrême, c'est qu'il devait énormément avoir besoin d'argent et d'attention. Tous les jours, pendant deux mois, je l'ai imaginé entouré d'amour, tous ses besoins satisfaits.

Croyez-moi, je ne suis pas une sainte. Et je ne suggère pas du tout qu'il est facile de donner de l'amour dans une situation d'injustice ou de trahison. Cependant, je suggère que, dans toute situation hors de notre contrôle, donner de l'amour peut se révéler un geste réparateur puissant. Lorsque j'ai envoyé de l'amour à cet homme, j'ai constaté quelque chose de miraculeux — je me suis sentie mieux. Je me suis détendue et j'ai pu me détacher de la situation.

Mon amie Barbara a appris de sa nièce le pouvoir de l'amour. Barbara, une célibataire à la fin de la cinquantaine, avait offert de partager pendant un mois son petit appartement de deux chambres à coucher avec sa sœur Carol et sa fille de cinq ans, Erica, pendant qu'elles se cherchaient un nouveau foyer. Habituée de vivre seule, Barbara se sentait nerveuse à l'idée de cet arrangement, mais elle voulait aider sa sœur.

Au cours des deux premières semaines de vie commune, Barbara a cru devenir folle. Partager son espace avec une enfant bruyante l'a tellement stressée, qu'elle a attrapé la grippe. Un après-midi, alors qu'elle était allongée sur le divan, Erica est venue s'asseoir près d'elle. En plaçant doucement ses mains sur le front de Barbara, elle a murmuré à ses oreilles : «Ne t'inquiète pas, tante Barbara, tout ira bien. Je vais prendre soin de toi.» À cet instant, les yeux de Barbara se sont emplis de larmes. En regardant sa nièce, elle a senti le pouvoir de l'amour entrer dans son cœur.

Y a-t-il une personne dans votre vie qui a besoin de votre amour? Votre patron toujours prêt à exploser? Votre voisin indiscret? On encore le chauffeur d'autobus grincheux ou l'ex-épouse aigrie de votre mari? Donner de l'amour à ceux à qui vous avez le moins envie d'en témoigner peut être une forme de guérison puissante.

Un jour, après avoir envoyé de l'amour à l'homme qui avait heurté ma voiture, je reçus un téléphone de la police, m'informant qu'un témoin mystérieux s'était manifesté et que la poursuite avait été abandonnée. Je me souviens d'être restée longtemps debout, le téléphone à la main, après cet appel. J'étais bouleversée. C'est à ce moment que j'ai compris le pouvoir de l'amour. Plus fort que la colère, la haine ou la vengeance, l'amour est une énergie puissante qui guérit. Cette expérience m'a appris que donner de l'amour constitue également une merveilleuse façon de prendre soin de soi-même. Dorénavant, le don d'amour est devenu ma réaction implicite dans toute situation. Vous le pouvez aussi; commencez aujourd'hui. Y a-t-il une personne qui a besoin de votre amour?

PASSEZ À L'ACTION

Chaque jour, nous avons des occasions d'envoyer des messages d'amour. Ces messages peuvent être très directs comme «je t'aime» prononcé à l'endroit de membres de votre famille, ou plus subtils comme lorsque vous souriez à un étranger ou que vous offrez d'aider un ami dans le besoin. Cette semaine, vous allez apprendre à envoyer ces messages de plein gré.

Imaginez que, tous les matins, on vous donne un sac rempli d'amour à distribuer aux autres pendant la journée (un *immense* sac). Votre mission cette semaine consiste à vider ce sac, chaque jour. Vous pouvez choisir de dire simplement «je t'aime» à une personne près de vous (ce sont généralement les personnes les plus près de nous qui ont le plus besoin d'entendre ces mots). Vous pouvez aussi proposer de donner un coup de main à un camarade de travail qui vous irrite. Peut-être déciderez-vous, au milieu d'une dispute, de dire un mot gentil ou d'admettre que vous aviez tort. Quelle que soit la situation, choisissez une personne dès maintenant. Téléphonez-lui et exprimez votre amour. Vous pouvez aussi demeurer assis calmement et imaginer votre énergie d'amour qui se transmet aux autres. À mesure que votre sac d'amour se vide, remarquez comme vous vous sentez bien!

Les personnes qui ont le plus besoin de mon amour sont :

_____

Je vais partager cet amour en :

_____

RESSOURCES

The Post Card Fairy Network [Le réseau Postcard Fairy]
www.postcardfairy.cjb.net
Au départ, un affichage spontané sur le babillard électronique SARK, maintenant un réseau de personnes qui envoient des cartes postales (dont certaines faites à la main) à des gens partout sur la planète pour leur rappeler que nous sommes tous unis. Vous pouvez vous joindre à ce réseau gratuitement.

A Return to Love [Un retour vers l'amour]
par Marianne Williamson
(New York : HarperCollins, 1996)
Réflexions sur les principes d'un cours sur les miracles.

Love [Amour]
par Leo Buscaglia
(New York : Fawcett Books, septembre 1996)

Hallmark
www.hallmark.com
Pour connaître l'adresse du magasin Hallmark le plus près de chez vous, pour envoyer une carte électronique et plus encore !

Blue Mountain Cards [Cartes Blue Mountain]
www.bluemountain.com
Envoyez gratuitement des cartes pour toutes les occasions ; la plupart sont animées et musicales.

Semaine 44

PRENDRE SOIN DE SON ESPRIT

Personne ne marchera dans mon esprit les pieds sales.
MAHATMA GANDHI

À ce stade-ci, la plupart d'entre vous comprenez l'importance d'éliminer de votre vie les parasites et tout ce qui draine l'énergie, afin d'éviter de vous sentir envahi et exténué. Cependant, peut-être ne savez-vous pas que ce concept est aussi relié à l'esprit.

Ce qui entre dans l'esprit par les yeux et les oreilles (radio, télévision, journaux, livres, conversations, etc.) influe énormément sur notre bien-être. Il y a quelques années, dans un atelier auquel je participais, j'ai entendu parler d'un projet de recherche mené par un physicien qui voulait déterminer l'influence des images visuelles sur le corps humain. Les résultats ont montré que ce que nous voyons a des conséquences directes sur notre système immunitaire. Ainsi, les chercheurs ont découvert que le système immunitaire de spectateurs d'un groupe témoin ayant regardé pendant une heure le film *The Omen [Le présage]* avait été supprimé pendant trente jours!

Il semble que ce que nous entendons et sentons a également un impact sur notre système immunitaire. Par exemple, pensez à vos relations. Y a-t-il dans votre vie des personnes qui disent constamment des choses qui drainent votre énergie ou qui vous mettent en colère ? Savez-vous que ces sentiments peuvent affaiblir votre système immunitaire ? De la même façon, s'il y a des personnes qui vous font sentir aimé, votre système immunitaire est renforcé. Voyons maintenant l'étude qu'a menée l'institut HearthMath, une organisation californienne à but non lucratif qui conçoit des programmes pour aider les gens à diminuer leur stress et à accroître leur productivité.

Les gens de HearthMath ont rassemblé un groupe de personnes et ont mesuré leur niveau de base d'IgA, les anticorps qui interceptent les microbes et les agents pathogènes. Ils ont demandé aux sujets de l'étude de passer cinq minutes à penser à quelque chose qui les mettait en colère, après quoi ils ont relevé le niveau d'IgA et découvert que celui-ci avait augmenté. Une heure plus tard, ils ont à nouveau mesuré les IgA, qui avaient alors baissé à moins de la moitié de leur niveau de base. De plus, les chercheurs ont constaté que les niveaux d'IgA des sujets se trouvaient encore sous le résultat de base *six heures* après les souvenirs soulevant la colère.

Puis, les chercheurs ont à nouveau testé le même groupe. Cette fois, ils ont demandé aux sujets de se rappeler une expérience où ils s'étaient sentis entourés d'amour. Une fois le niveau de base d'IgA noté, les participants ont passé cinq minutes à évoquer un événement où ils ont senti une véritable sollicitude à leur égard. Les chercheurs ont découvert que le niveau d'IgA des sujets était un peu plus élevé que lors du test de la colère. Une heure plus tard, les niveaux étaient revenus à la normale. Toutefois, au cours des six heures suivantes, ils ont augmenté lentement et ont dépassé le résultat de base.

Que révèle cette étude sur l'influence des relations sur la santé ? Peut-être rien de certain, mais cela peut nous amener à nous demander si les personnes de notre entourage nous traitent d'une manière qui suscite des sentiments d'amour, de colère ou de stress.

En sachant que ce que nous voyons, entendons et sentons influe sur notre santé, nous devenons plus conscients des soins à apporter à notre esprit. Imaginez ce qui se passe lorsque vous lisez une histoire de violence dans le journal, ou quand on vous raconte des événements tragiques chaque soir durant le bulletin de nouvelles. Non seulement votre corps reçoit-il une influence négative, mais je suis certaine que vous ressentez aussi des effets émotifs et spirituels. Avez-vous déjà remarqué que votre humeur avait changé après avoir écouté une mauvaise émission à la télévision ou après avoir entendu parler d'un crime ?

Percevez votre esprit comme une grande pièce où l'espace est limité. Au lieu de gober toute information au hasard, n'oubliez pas que tout a un impact. Choisissez avec discernement. Si vous écoutez un film qui devient soudainement violent ou offensif, quittez la salle et demandez qu'on vous rembourse (en général, les cinémas font des remboursements). Ou, quand vous lisez un livre qui ne retient plus votre intérêt, ne vous forcez pas à le terminer et à remplir votre esprit d'information inutile ; abandonnez-le. Maintenant que vous choisissez soigneusement ce qui entre dans votre esprit, voyez comment votre vie se transforme. Après tout, c'est ce que nous retenons dans notre esprit qui se révèle à notre insu.

PASSEZ À L'ACTION

Au cours de cette semaine, exercez-vous à prendre soin de votre esprit. Accordez une faveur à votre corps, à votre esprit et à votre âme en remplaçant les émissions de télévision ou de radio et les conversations négatives, par autre chose de positif qui vous rend de bonne humeur. Ignorez les balivernes à la télé et lisez plutôt un bon livre. Ou, en revenant du boulot, délaissez le talk-show à la radio et écoutez plutôt de la musique de détente. Il y a de fortes chances que vous ne soyez pas à l'aise dans ces nouveaux comportements au début mais, si vous persistez, vous finirez par trouver la paix et la sérénité (et une meilleure santé).

RESSOURCES

Hearthmath Solution [La solution Hearthmath]
par Doc Lew Childe, Howard Martin et Donna Beech
(New York : HarperCollins, 1999)
www.hearthmath.com
L'institut Hearthmath offre des programmes qui aident à réduire le stress et à améliorer l'efficacité personnelle.

UTNE Reader magazine [Magazine Utne Reader]
Service d'abonnement de Utne Reader
B.P. 7460
Red Oak. IA 5191-0460
(800) 736-UTNE
www.utne.com
Utne Reader rediffuse les meilleurs articles publiés dans plus de 2000 sources, offrant ainsi les idées et les tendances les plus récentes émergeant de notre culture. Le « Web Watch Daily » de Utne inclut des sujets actuels et des nouvelles de partout dans le monde.

HOPE MAGAZINE [Magazine Hope]
Service d'abonnement
B.P. 160
Brooklin, ME 04616
(800) 273-7447
Excellente publication, ce magazine publie des histoires d'espoir très inspirantes. L'abonnement coûte 24,95 $ pour un an.

NEW AGE MAGAZINE [Magazine New Age]
42, rue Walter
Watertown, MA 02172
(617) 926-0200
New Age publie des articles portant sur des idées novatrices dans les domaines de la santé, de la vie naturelle, de la croissance personnelle, de la psychologie, de l'édition et de la musique.

Semaine 45

LES GENS
ET LES PRIORITÉS

Relie tout ce que tu accomplis.

ED SHEA

Puisque ma saison de voyages tire à sa fin, j'utilise les heures matinales consacrées à l'écriture de mon journal pour définir mes priorités pour l'année prochaine. Je suis très reconnaissante de tout ce qui est arrivé dans ma vie durant la dernière année. J'ai réalisé un rêve en publiant un premier livre qui a remporté du succès et en ayant la chance de voyager partout au pays et de rencontrer des gens merveilleux. J'ai travaillé fort et les récompenses en valaient la peine.

L'un des plus beaux cadeaux que m'a apporté mon horaire de voyage chargé a été une conscience aiguë de ce qui comptait vraiment. Se trouver loin de la maison et passer peu de temps près de ceux que nous aimons aide à mettre les choses en perspective.

Même si la publication d'un livre et la vie publique semblent des accomplissements attrayants, ils n'égaleront jamais les relations profondes et durables que je partage avec ma famille et mes amis. Il a fallu que je sois éloignée pendant un an et que je réalise un rêve pour vraiment comprendre cette vérité.

Lorsque la fin de la vie approche, ce ne sont pas les réalisations et les succès professionnels ni la grosseur de notre compte de banque qui comptent. Ce sont les personnes que nous avons aimées et qui nous ont aimés qui apportent un sentiment d'accomplissement dans notre vie (et notre cœur). Il est si facile de tenir pour acquises nos relations importantes. Nous nous laissons happer par nos vies affairées et les premières personnes qui en souffrent sont celles qui sont les plus près de nous — nos partenaires, notre famille, nos enfants, nos amis. Les responsabilités prennent la place et nous nous retrouvons à nous excuser devant ceux que nous aimons en espérant qu'ils seront compréhensifs (et, en général, ils le sont pendant un certain temps).

Placer vos relations plus haut sur votre échelle de priorités peut exiger que vous refusiez de travailler plus tard lorsque votre patron vous le demande, afin de pouvoir prendre votre repas en famille. Parfois, les choix sont encore plus difficiles, par exemple laisser passer une occasion d'emploi intéressante afin de ne pas avoir à déménager la famille. Lorsque les personnes deviennent davantage une priorité dans notre vie, nous nous apercevons bientôt que les récompenses valent les sacrifices. Notre carrière a peut-être de l'importance, mais nos relations avec ceux que nous aimons durent toute la vie.

En planifiant mes projets de l'an prochain, j'ai décidé d'accorder plus importance à mes relations. Pour cela, je devrai me refuser des choses qu'autrement j'aimerais faire. Je devrai confronter ma peur de perdre du terrain en accordant moins de temps aux activités profes-sionnelles. Par exemple, il faudra peut-être que je laisse tomber un engagement pour une conférence importante afin d'être en mesure de célébrer un événement spécial avec ma famille ou mes amis. Ou, peut-être qu'il faudra que je retarde un délai d'écriture afin de dimi-nuer mon niveau de stress et être plus agréable pour mon entourage.

En plus de modifier mes projets, je devrai investir du temps et de l'énergie en vue d'apprendre à créer des relations plus profondes et plus intimes. Qu'en est-il de vous? Désirez-vous vous investir davan-tage dans vos relations les plus importantes? Y a-t-il une personne qui a besoin de votre amour et de votre attention? Quelqu'un que vous avez tenu pour acquis? Quelles sont les nouvelles aptitudes que *vous* devrez développer afin d'approfondir vos relations? Êtes-vous capable d'écouter sans juger, d'être honnête dans vos sentiments et d'affronter un problème directement au lieu de recourir au silence et de créer ainsi une barrière à l'intimité?

Ne laissez pas une journée occupée vous dérober ce qui compte vraiment à la fin d'une longue vie bien remplie. Redéfinissez vos priorités maintenant et offrez-vous (ainsi qu'aux autres) le cadeau de l'amour et de l'attention.

PASSEZ À L'ACTION

Quand vous aurez terminé ce chapitre, prenez un moment pour réfléchir à ce qui suit :

1. Qui sont les personnes les plus importantes dans votre vie?

2. Quel genre d'attention ou d'amour ces relations nécessitent-elles?

3. Quelle habileté devez-vous acquérir afin de vous investir plus profondément dans ces relations?

4. Que *changerez*-vous afin de vous assurer que vous accordez à vos relations l'attention qu'elles méritent?

RESSOURCES

Getting the Love You Want : A Guide for Couples [Obtenez l'amour que vous voulez : un guide pour les couples]
par Harville Hendrix, Ph. D.
(New York : HarperPerennial Library, 1990)
Un merveilleux guide pratique pour résoudre les problèmes, qui propose seize exercices pour favoriser la communication, mettre fin aux comportements auto-destructeurs et parvenir à une satisfaction mutuelle sur le plan affectif.

Relationship Rescue [Sauvez votre couple]
par Phillip C. McGraw
(New York : Hyperion, 2000)
Une méthode à sept étapes pour recréer le lien avec votre partenaire. McGraw a mis à profit ses vingt ans d'expériences comme conseiller pour élaborer une méthode qu'il appelle *Sauvez votre couple.*

Semaine 46

OFFRIR
DES CADEAUX

On gagne sa vie avec ce qu'on rapporte,
mais on accomplit sa vie avec ce qu'on donne.
WINSTON CHURCHILL

En l'honneur des relations et du temps des fêtes, j'ai décidé de profiter de ce chapitre pour partager les cinq idées de cadeaux que je préfère. Ces suggestions sont offertes pour vous inspirer une plus grande créativité, cette année, lorsque vous donnerez des présents et approfondirez vos liens avec les personnes aimées.

1. *Rédigez une lettre d'amour (ou un poème) à votre partenaire.* Combien de fois vous êtes-vous creusé la tête pour dénicher le cadeau parfait pour votre amour et avez-vous finalement opté pour quelque chose de banal ? Si vous avez déjà reçu une lettre d'amour, vous savez combien ce cadeau peut être précieux (tant pour les hommes que pour les femmes). Prenez le temps d'écrire vos sentiments sur du beau papier. Placez votre lettre ou votre poème dans une boîte que vous envelopperez. Si vous doutez de vos talents en rédaction, allez au plus simple. Par exemple, vous pourriez établir une liste de dix énoncés comme : Les dix raisons pour lesquelles je t'aime.

2. *Écrivez un livre pour une personne que vous aimez.* C'est beaucoup plus facile qu'il n'y paraît et cela peut être un projet de création passionnant pour ceux qui rêvent de publier un livre. Voyez cette activité comme un exercice d'entraînement. Choisissez une personne spéciale (votre partenaire, votre associé, un membre de votre famille ou un ami), achetez un joli petit livre-journal et, au cours du prochain mois, rédigez une page par jour.

Je l'ai fait une année pour mon mari, Michael. Chaque jour, je lui écrivais une lettre qui reflétait un aspect que j'admirais, appréciais ou respectais. Certains jours, je me sentais inspirée et je rédigeais plus d'une page. À Noël, j'avais rempli un petit livre. Ce cadeau l'a touché davantage que tout autre présent que je lui avais déjà donné.

3. *Organisez un événement surprise.* Choisissez une personne spéciale et organisez une activité qu'elle appréciera vraiment. Fixez une date, rédigez une invitation mystérieuse et enveloppez-la.

Un de mes clients a invité sa femme de cette façon. Il a trouvé une auberge romantique, réservé une gardienne et planifié une escapade d'un week-end au début du mois de janvier. Puisque ce cadeau était une surprise, sa femme a pu ainsi prolonger le temps des fêtes et se reposer un peu plus longtemps.

4. *Offrez votre temps et votre énergie.* Pensez aux services ou au soutien dont pourraient profiter les personnes dans votre vie et offrez-les en cadeau. Par exemple, si vous avez un frère ou une sœur qui aimerait partir un week-end, vous pourriez garder ses enfants ou aider à trouver des personnes pour les surveiller. Peut-être qu'un de vos amis a besoin d'aide pour mettre sur pied un système de rangement pour ses livres. Préparez un bon-cadeau amusant (portant une date) et enveloppez-le dans une boîte.

5. *Offrez un service utile.* Achetez sous forme de bon-cadeau un service dont une personne a vraiment besoin. Par exemple, vous pourriez payer les services d'un cuisinier pendant un mois à un entrepreneur très occupé. Ou pourquoi ne pas offrir à quelqu'un qui a mal au dos des services d'entretien pour sa pelouse. Ou encore, vous et d'autres membres de

la famille pouvez rassembler vos ressources et payer, pendant des semaines ou des mois, des services d'entretien domestique à une mère surchargée (le plus cher désir des femmes de mon auditoire qui élèvent des enfants).

Qui sait, peut-être qu'en choisissant l'une de ces idées de cadeaux, vous redécouvrirez le plaisir du magasinage du temps des fêtes.

PASSEZ À L'ACTION

Choisissez une idée de la liste ci-dessus et amusez-vous à la réaliser. Plus tôt vous commencerez, plus le cadeau aura de sens pour vous et l'heureux destinataire.

Les personnes à qui je veux offrir un cadeau spécial sont :

1. _____

2. _____

3. _____

Je vais leur donner les cadeaux suivants :

1. _____

2. _____

3. _____

RESSOURCES

Illuminations
1995, boul. McDowell sud
Petaluma, CA 94954
www.illuminations.com
Un endroit extraordinaire où se procurer de magnifiques chandelles et cadeaux.

FLOOZ Money for Great On-Line Gifts
[Argent Flooz pour cadeaux en ligne]
www.flooz.com
Flooz est une sorte de bon-cadeau en ligne. Les destinataires utilisent les bons-cadeaux reçus par courriel aux magasins en ligne de leur choix.

www.MrsBeasley.com
Ce site Web offre de merveilleux cadeaux variés dont des biscuits, des gâteaux et bien

Semaine 47

LE JEU DES REMERCIEMENTS

*Si la seule prière que vous dites dans votre vie est « merci »,
elle est suffisante.*

MEISTER ECKHART

Cette semaine, je vous invite à participer à un jeu qui m'a été inspiré par mon père, qui, aussi longtemps que je me souvienne, a aimé surprendre les gens avec des cadeaux de remerciement. Par exemple, il livrait des paniers de fruits dans les centres d'hébergement de la région et des arbres de Noël miniatures à ses clients les plus âgés. Un jour, il a même poursuivi un camion d'ordures afin de donner de l'argent aux éboueurs pour qu'ils se paient à déjeuner. Mon père est un homme très spécial.

Le but du jeu de cette semaine — le jeu du merci — consiste à trouver une façon créative et peu coûteuse de témoigner votre reconnaissance aux personnes souvent oubliées dans votre vie. Par exemple, peut-être voudrez-vous remercier les gens dont vous bénéficiez des services chaque jour. Amusez-vous ! Vous pourriez :

1. Apporter une boîte de biscuits à votre bureau de poste ou à votre centre de télécopie pour remercier les employés du bon

travail qu'ils ont accompli tout au long de l'année. Croyez-moi, c'est très apprécié.

2. Composer le 411 et remercier le ou la téléphoniste de vous avoir fourni de l'information durant l'année (ne vous étonnez pas s'il y a un long silence).

3. Envoyer une carte de remerciement à quelqu'un qui ne s'y attend pas du tout, par exemple la personne qui s'occupe de votre pelouse, votre mécanicien, votre médecin ou votre avocat.

4. Apporter une tarte aux pommes aux employés d'une maison de refuge ou aux membres de l'Armée du Salut de votre région pour les remercier de *leur* engagement à une cause.

5. Laisser un pourboire généreux à la personne qui vous sert régulièrement votre café ou votre déjeuner (vous pouvez même l'inviter à se joindre à vous pour manger).

Il s'agit de laisser libre cours à votre créativité et de goûter à la joie de dire merci. En jouant le jeu du merci, vous découvrirez certainement ce que mon père a appris il y a plusieurs années : il est si agréable de donner et de remercier que nous voulons le faire à l'année longue.

PASSEZ À L'ACTION

Réservez un moment pour feuilleter votre carnet d'adresses afin de repérer les personnes qui vous facilitent la vie. Notez leur nom et, cette semaine, remerciez une personne par jour. Cela peut être votre massothérapeute, votre facteur, votre médecin, votre avocat, votre comptable ou votre conseiller financier.

Les sept personnes que je veux remercier sont :

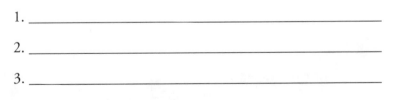

1. _____

2. _____

3. _____

4. _____

5. _____

6. _____

7. _____

RESSOURCES

Fairytale Brownies [Carrés au chocolat Fairytale]
(800) 324-7982
www.fairytalebrownies.com
De délicieux carrés au chocolat faits maison, bon marché et superbement emballés.

Bloomin' Flower Cards [Cartes Bloomin' Flower]
2510, 47ᵉ rue Nord, studio E
Boulder, CO 80301
(800) 894-9185
www.bloomin.com
Une bonne adresse pour obtenir des cartes bon marché qui, lorsque semées, produisent toutes sortes de plantes ou de fleurs.

Marliese Designs [Designs Marliese]
(508) 520-4839
Marliese est une artiste qui peint à la main de superbes cartes de souhait, de même que des vêtements et des cadeaux.

LES BIENFAITS
DE L'ENNUI

L'ennui ouvre la voie à la paix.
THOMAS LEONARD

Après avoir voyagé partout au pays durant plusieurs périodes de jours consécutifs, j'étais occupée à me rendre d'une rencontre à une autre, l'adrénaline constituant ma principale source de carburant. J'avais oublié que de passer à un rythme plus modéré pouvait occasionner un incertain inconfort. Ralentir peut parfois sembler ennuyeux. Heureusement, je connais les avantages de l'ennui. Quand je commence à m'ennuyer, je sais que je me rapproche de la paix de l'esprit que réclame mon âme.

L'ennui est un sentiment que la plupart d'entre nous éprouvons lorsque nous n'avons rien à faire, lorsque nous nous retrouvons de façon imprévue avec du temps libre ou lorsque nous nous forçons à demeurer tranquilles afin de pouvoir écouter notre sagesse. Il n'est pas rare de nous sentir mal à l'aise dans ces circonstances et, souvent, ce malaise est vécu comme de l'ennui.

J'ai fait quelques recherches sur l'ennui. Je me suis renseignée auprès de mes amis sur leur capacité de diminuer le rythme et de ne rien faire. De toute évidence, cela n'est pas facile à «faire» pour la plupart des gens. Plusieurs m'ont dit que dès qu'ils disposaient d'un peu de temps, ils se sentaient obligés d'accomplir quelque chose. Nous avons rigolé ensemble du genre de choses que nous avions l'habitude de faire. Voyez si vous vous reconnaissez dans les situations suivantes.

Vous vous rendez compte que vous avez de la difficulté à supporter l'ennui quand :

1. Vous laissez de la soie dentaire, des limes à ongle, des crayons et du papier dans votre voiture pour avoir quelque chose à faire durant les embouteillages.

2. Vous commencez à ranger votre sac à main ou votre porte-monnaie pendant que vous attendez avant un rendez-vous.

3. Vous rangez le coffre à gants de votre voiture pendant que vous attendez dans une file qui avance lentement.

4. Vous époussetez les meubles ou rangez vos tiroirs quand vous avez finalement une soirée à vous.

5. Vous disposez d'une petite demi-heure dans la journée et vous téléphonez à une personne qui draine votre énergie.

6. Vous commencez à lire le bottin téléphonique dans votre chambre d'hôtel. (Cet exemple ne vient pas de moi.)

7. Vous lisez une histoire de bébé à trois têtes en attendant de passer à la caisse à l'épicerie.

Dans notre monde où il faut carburer à l'adrénaline, apprendre à ne rien faire peut s'avérer un grand défi. Trop souvent, nous remplissons notre vie d'activités, de tâches ou d'occupations pour éviter de ressentir de l'ennui. Nous passons des années à diriger notre énergie vers l'extérieur et il devient difficile de réserver un temps et un espace pour nous concentrer sur nous-mêmes et réfléchir à notre vie. Souvent, la peur de l'inconnu ou de découvrir des rêves non réalisés, ou encore le désir de rester coupés des sentiments que nous avons masqués pendant des années se cachent sous ce sentiment d'ennui. Cependant, avec de l'entraînement, vous découvrirez que d'apprendre à demeurer avec le sentiment d'ennui donne rapidement accès à une réflexion profonde sur la vie et finit par procurer un état de paix et de sérénité qui vous nourrira d'une toute nouvelle manière.

Mon premier guide m'a appris les avantages de l'ennui. À l'époque où nous avons travaillé ensemble, il m'a mise au défi de maîtriser l'art de l'ennui afin de parvenir à la paix de l'esprit — que je désirais très fort à ce moment de ma vie. Pour y arriver, j'ai dû me résigner à allouer, dans ma vie, beaucoup plus de temps à ne rien faire et à apprendre à rester tranquille avec moi-même pendant quelques instants. Par exemple, il a fallu que je réorganise mon horaire de façon à avoir plus de soirées et de week-ends libres que d'ordinaire pour pouvoir simplement laisser mon esprit vagabonder. J'ai dû abandonner plusieurs projets et objectifs (dont certains que je désirais ardemment) afin de limiter mes distractions. J'ai dû mettre fin à mon incessante poursuite de nouveaux défis et de « bonnes idées » pour pouvoir retrouver mes pensées, identifier mes véritables priorités et me relier à une puissance spirituelle, ce qui me permettrait de réaliser plus efficacement mes objectifs les plus précieux.

Apprendre l'ennui, c'est comme apprendre à méditer. Lorsque vous réserverez du temps où vous ne ferez rien (pas de télévision, de téléphone, de lecture, etc.), vous devrez passer par une période d'effervescence avant de vous tranquilliser et de retirer des avantages. Une fois que vous en aurez pris l'habitude, non seulement apprendrez-vous à vous détendre et à diminuer votre stress, mais vous obtiendrez bien d'autres choses. Vous serez capable de vous concentrer sur vos pensées et d'apprécier votre propre compagnie. Vous acquerrez l'auto-discipline qui vous servira dans d'autres sphères de votre vie. Vous deviendrez moins impulsif et, en conséquence, vous prendrez de meilleures décisions.

Lorsque vous vous exercerez à supporter l'ennui, il est probable que vous fassiez l'expérience de pensées liées à la peur, qui vous ramèneront à l'action. En voici des exemples :

« Tous les autres avancent, sauf moi. »

« Je manque des chances intéressantes. »

« Je ne réussirai pas assez vite. »

« Je fais preuve d'irresponsabilité ou de paresse. »

Ces pensées sont des mensonges que vous raconte votre esprit dans l'espoir de vous garder occupé et déconnecté de votre moi véritable. Voici la vérité : lorsque vous saurez supporter l'ennui et que vous serez capable de conserver un tel espace dans votre vie, vous éveillerez une puissance spirituelle qui fera venir à vous les personnes, les chances et les ressources les meilleures pour vous. Si cela vous semble tiré par les cheveux, ne vous fiez pas à mes paroles, essayez plutôt de vivre l'ennui. Réservez de l'espace dans votre vie et voyez ce qui se produit.

PASSEZ À L'ACTION

Cette semaine, prenez conscience de la façon dont vous évitez l'ennui et vous vous empêchez de retrouver vos pensées. Que faites-*vous* pour occuper votre temps ? À mesure que vous remarquez ces comportements, tentez de les enrayer, respirez et soutenez l'inconfort.

Dans un deuxième temps, aménagez consciemment de l'espace dans votre vie pour vous exercer à demeurer inactif. Consultez votre horaire et modifiez-le en vue de libérer du temps. Considérez vos objectifs, vos projets et vos engagements et abandonnez-en quelques-uns (la moitié ?) afin de gagner du temps pour vous. Puis, pendant les deux ou trois prochains mois, appréciez l'espace supplémentaire dans votre vie et vous dépasserez bientôt la phase de l'ennui pour atteindre la paix et la sérénité.

Mes cinq façons d'éviter l'ennui sont :

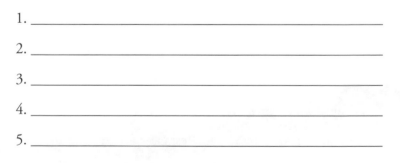

1. _____

2. _____

3. _____

4. _____

5. _____

Les trois objectifs, projets ou engagements que j'abandonne sont :

1. _____

2. _____

3. _____

RESSOURCES

The Art of Doing Nothing [L'art de ne rien faire]
par Veronique Vienne et Erica Lennard
(New York : Potter, 1998)
De magnifiques essais et photographies sur l'art de respirer, de méditer, de se baigner, d'écouter, d'attendre, etc.

Stopping : How to Be Still When You Have to Keep Going [Comment rester tranquille quand il faut être actif]
par David Kundtz
(New York : Conari Press, 1998)
Ce livre montre aux lecteurs comment s'arrêter dans une situation afin de lui redonner un sens et de percevoir la lumière de la grâce.

ARRÊTER TOUTE CETTE FRÉNÉSIE

Le seul cadeau est une partie de toi-même.
RALPH WALDO EMERSON

Voici revenu le temps des fêtes de fin d'année. Êtes-vous entraîné dans une course folle pour dénicher les cadeaux parfaits ? Avez-vous installé vos décorations à la hâte, entre une journée de travail chargée et vos occupations quotidiennes. Et dans toute cette frénésie, vous êtes-vous demandé comment l'esprit du temps des fêtes s'était perdu dans ce chaos ?

À notre époque de consommation et de surabondance d'information, il est très facile de se sentir débordé et exténué. Bon nombre d'entre nous désirent revivre l'esprit du temps des fêtes, mais manquent d'énergie ou de motivation.

C'est vous qui décidez de la qualité de vos fêtes. Vous avez le choix de continuer à courir de manière endiablée, ou de vous arrêter tout de suite pour faire les choses différemment. Pour vous soutenir dans votre nouveau concept, j'ai cru bon de vous faire quelques suggestions qui pourraient vous aider à retrouver l'esprit du temps des fêtes avant qu'il ne soit trop tard.

1. *Remplacez l'échange de cadeaux par un repas entre amis.* Demandez à vos amis de participer à un nouveau rituel des fêtes. Au lieu d'échanger des cadeaux, planifiez une soirée entre amis. Généralement, la semaine entre Noël et le jour de l'An est plutôt tranquille; la plupart des gens se sentent plus détendus ou quelque peu délaissés. C'est le moment idéal pour se rassembler et apprécier la compagnie de ceux que nous aimons. (La plupart des gens sont aussi plus disponibles.)

2. *Créez un souvenir inoubliable.* Rassemblez votre famille et vos amis pour aller chanter des cantiques à un centre d'hébergement de la région. Invitez quelques amis à se joindre à vous pour servir des repas à une soupe populaire. Que diriez-vous d'une journée en patins avec les enfants ou d'une balade familiale en traîneau? Pour bon nombre d'entre nous, le véritable esprit du temps des fêtes se manifeste lorsque nous passons du temps de qualité avec ceux que nous aimons. En planifiant un événement spécial avec une intention précise, vous créerez des souvenirs merveilleux qui dureront bien plus longtemps que n'importe quel cadeau.

3. *N'achetez pas autant de cadeaux.* Il y a quelques années, ma famille a instauré une nouvelle tradition. Plutôt que d'acheter des cadeaux pour tous les membres de la famille (beaucoup de travail pour quatorze personnes!), nous avons décidé de mettre nos noms dans un chapeau et de tirer au sort une personne à qui nous offrons un présent. Par le passé, nous avons procédé ainsi entre frères et sœurs, puis nous avons ajouté les neveux et les nièces. Ainsi, le magasinage devient moins stressant et les enfants reçoivent moins de cadeaux, ce qui leur permet de les apprécier davantage.

4. *Profitez de la technologie.* Achetez vos cadeaux par ordinateur ou par catalogue. Réservez un après-midi, allumez le foyer (ou faites jouer de la musique de Noël), puis partez à la recherche des cadeaux les plus appropriés. Le lendemain matin, consacrez une demi-heure à passer vos commandes. Vous gagnerez du temps en évitant les déplacements et les files d'attente, vous épargnerez de l'argent grâce aux rabais

en ligne et aurez ainsi plus de temps à partager avec ceux que vous aimez.

5. *Faites participer vos sens.* L'une des façons les plus efficaces de vous sentir dans l'ambiance du temps des fêtes consiste à en offrir une bonne dose à vos sens. Écoutez votre musique préférée du temps des fêtes toute la journée. Allumez de l'encens au pin ou une chandelle aux épices et laissez-vous transporter dans de vieux souvenirs.

Finalement, parfois la meilleure façon d'apprécier le temps des fêtes sera de vous accorder la permission de ne pas y participer. Cela pourrait être particulièrement important si vous vivez une période de transition, de deuil ou de perte, ou si vous ne vous sentez simplement pas disposé. Il est tout à fait permis de ne pas tenir compte des attentes des autres et de prendre soin de votre âme. Il est important de ne pas oublier que *vous* êtes la personne responsable de votre expérience du temps des fêtes. Si vous ne la vivez pas à votre façon, ce sont les médias, les magasins et toute cette frénésie qui prendront le dessus.

PASSEZ À L'ACTION

Arrêtez-vous un moment pour penser à ce que vous aimeriez faire de différent pour les fêtes, cette année. Puis, aujourd'hui même, posez un geste dans ce sens. Ajoutez ensuite des « accessoires du temps des fêtes » dans votre environnement. Écoutez votre musique de Noël préférée au travail, ou sortez le midi pour acheter une couronne que vous accrocherez à la porte de votre bureau (cela donne un air de gaieté et dégage une bonne odeur).

Cette année, les deux choses que je vais changer sont :

1. _____

2. _____

Mon accessoire du temps des fêtes favori est :

_____

RESSOURCES

Pickles, Peaches, and Chocolate : Easy, Elegant Gifts from Your Kitchen [Cornichons, pêches et chocolat : des cadeaux faciles et somptueux de votre cuisine]
par Karen Ward
(California : C&K Enterprises, 1999)
Une collection de recettes pour donner en cadeau de merveilleux délices.

Soap Werks
806 S. Dogwood Dr.
Berea, KY 40403
(877) 985-7877
Des produits pour le bain et pour le corps fabriqués en petite quantité avec des huiles végétales et essentielles, des herbes et de la cire d'abeille, toutes de la meilleure qualité. Chacun est joliment emballé à la main.

www.naterra.com
Cette compagnie offre « CandleSong », une chandelle d'aromathérapie qui joue de la musique de la qualité d'un disque compact lorsqu'on l'allume. Un cadeau bon marché original qui dégage une odeur plaisante tout en favorisant la détente.

Unplug the Christmas Machine : A Complete Guide to Putting Love and Joy Back into the Season [Débranchons la machine de Noël : un guide complet pour redonner leur place à l'amour et à la joie durant le temps des fêtes]
par Jo Robinson et Jean Coppock Staeheli
(New York : Quill, 1991)
Ce livre demeure l'un des guides les plus complets pour gérer le stress du temps des fêtes et en combattre l'aspect commercial. Les auteurs fournissent de précieux conseils pour donner un côté plus spirituel et moins matériel aux célébrations. Même si ce guide est centré sur Noël, il contient de l'information que vous trouverez utile pour diminuer le stress lors de toute vacance.

BRISER LA ROUTINE

Un esprit sain apporte le calme, mais la folie est plus intéressante.
JOHN RUSSELL

J'écris ce chapitre au milieu d'un bureau en chantier. Je me suis finalement décidée à entreprendre mon projet en tête de liste de l'an passé : repeindre mon bureau. Durant le week-end, mon téléphone et mon télécopieur ont été débranchés, les meubles ont été recouverts de plastique et déplacés au centre de la pièce. Puis, mes murs ont été peints d'une étrange couleur évoquant un mélange de sorbet orange et framboise.

Pendant ce mini projet, mon bon ami et collègue Steve Shull, un conseiller fantastique de Los Angeles, m'a téléphoné pour m'annoncer qu'il était en ville par affaires. Je ne refuse jamais une chance de voir un ami cher (un collègue, de surcroît), j'ai donc invité Steve à demeurer à la maison.

J'aurais pensé que de recevoir un invité pendant que la maison était en désordre allait rendre ma vie chaotique. Mais, au contraire, il s'est produit quelque chose de merveilleux. Cela a brisé la routine de mon quotidien et m'a permis de me laisser aller et de m'amuser.

Modifier notre environnement et briser la routine apportent des bénéfices à l'âme. Par exemple, je n'aurais jamais pensé que de peindre mon bureau dans une couleur originale très marquée stimulerait mon inspiration créatrice. Lorsque mon bureau a été peint, j'ai voulu changer complètement la disposition de la pièce. Puis, j'ai commencé à me promener dans la maison en imaginant toutes sortes de changements que je souhaitais réaliser. Mon âme appréciait le plaisir de créer.

Puis, avec l'inspiration créatrice est venu le plaisir. Partager ma maison avec un ami m'a obligée à modifier ma routine habituelle. Le matin, plutôt que de se lancer d'emblée dans le travail, nous sortions prendre le petit déjeuner. Le jour, je me concentrais à effectuer les tâches les plus importantes afin d'avoir amplement le temps pour mes relations sociales en fin de journée et en soirée.

Briser la routine m'a procuré de gros avantages. Cela m'a rappelé où se trouvait la joie — dans le temps consacré à l'expression de mon esprit créatif et en compagnie des personnes que j'aime. Qu'en est-il de vous ? Votre vie a-t-elle besoin d'être secouée un peu ? Êtes-vous prêt à modifier votre routine quotidienne ? Lorsque nous changeons notre paysage externe, notre paysage interne change automatiquement. Cela nous aide parfois à voir plus clairement nos véritables priorités. C'est ce qui m'est arrivé.

PASSEZ À L'ACTION

Cette semaine, ébranlez un peu votre vie. Déplacez des meubles. Arrêtez-vous au milieu de votre travail et faites quelque chose d'amusant. Sortez un soir où, d'habitude, vous restez à la maison et offrez-vous un repas spontané avec un ami. Si vous travaillez à votre compte, prenez un après-midi de congé et louez un film. C'est la fin de l'année, pourquoi ne pas laisser le temps des fêtes vous inspirer à faire quelque chose qui sort de l'ordinaire ?

Cette semaine, voici ce que je vais faire pour modifier ma routine :

_____

RESSOURCES

American Society of Interior Designers (ASID) [Société américaine des architectes d'intérieur (ASID)]
608, av. Massachusetts NE
Washington, DC 20002
(800) 775-ASID
www.asid.org

ASID est la plus grande et la plus vieille association professionnelle d'architectes d'intérieur. Elle compte 30 000 membres. Elle offre un service de références gratuit par téléphone ou par courriel.

SAINE ET SPÉCIALE

*L'imagination constitue l'arme par excellence
dans la guerre contre la réalité.*

JULES DE GAULTIER

A u cours de cette dernière semaine avant les vacances et la frénésie potentielle du temps des fêtes, j'aimerais vous mentionner quelques gestes tout simples que vous pouvez poser pour que cette période soit saine et spéciale.

1. *Souriez davantage*, même lorsque vous vous sentez débordé ou à bout de nerfs. Vous pouvez amener à son insu votre corps dans un état de joie en arborant un sourire pendant au moins trente secondes. Essayez tout de suite.

2. Un soir, partez en voiture avec toute la famille (ou vos amis) pour aller *admirer les lumières et les décorations dans votre voisinage*. Faites jouer de la musique de circonstance. Ce genre d'événement crée de bons souvenirs. Je me souviens encore aujourd'hui de ma grand-mère de soixante-quinze ans qui était si heureuse quand mes sœurs et moi lui faisions faire le tour de la ville pour qu'elle voie les lumières.

3. Quand tout le monde est au lit, *assoyez-vous tranquille près du feu ou de l'arbre de Noël* et demeurez cinq minutes dans le silence (pas d'assemblage de jouets!).

4. *Aidez un parent.* Le partage avec les autres rend les fêtes spéciales. Lorsque j'ai rendu visite à ma collègue conseillère Sharon Day (une mère extraordinaire) avec ma cousine, elle a mentionné combien les parents étaient parfois oubliés quand venait le temps de l'appréciation et de la reconnaissance. Le temps des fêtes est le moment parfait pour exprimer votre reconnaissance à des parents autour de vous qui ont choisi la carrière la plus sacrée de toutes, celle d'élever des enfants. Cette semaine, envoyez une carte, un courriel ou un message téléphonique à une mère ou à un père pour les remercier de ce qu'ils font (peut-être voudrez-vous leur offrir votre aide pour la cuisine et l'emballage de dernière minute!)

5. *Chantez en pleine circulation.* Un jour où j'allais faire des courses avec mon mari Michael, nous avons rencontré un «chanteur en pleine circulation». Nous étions à un feu rouge et Michael s'est mis à rire. Il m'a dit de regarder dans le rétroviseur et j'ai vu un homme bien mis qui dansait sur son siège et qui chantait à pleins poumons. Nous avons tellement apprécié sa bonne humeur que j'avais envie d'aller le remercier d'avoir agrémenté notre journée. Chantez en pleine circulation et ajoutez un peu de joie dans la vie de ceux qui se trouvent autour de vous.

Que vous adoptiez l'une des suggestions ci-dessus ou que vous appliquiez une de vos idées, je souhaite à chacun de vous des fêtes chaleureuses et mémorables.

PASSEZ À L'ACTION

Cette semaine, un geste très simple :

Respirez…

Semaine 52

LE POUVOIR
DE LA PRIÈRE

L'âme grandit lorsqu'elle donne et reçoit de l'amour.
Après tout, aimer est un verbe, un mot d'action, pas un nom.
JOAN BORYSENKO

Au fil de cinquante et un chapitres, j'ai mis l'accent sur les stratégies visant à prendre soin de soi-même, afin de vous soutenir dans l'amélioration de la qualité de votre vie. Et je l'ai fait pour une raison très importante : l'expérience m'a enseigné que lorsque nous prenions bien soin de nous-mêmes, nous ne pouvions faire autrement que de prendre bien soin des autres et de cette planète que nous partageons.

À mesure que ma vie avance, j'éprouve une immense gratitude. C'est dans l'esprit de cette gratitude que je sens la responsabilité de contribuer au monde de manière encore plus grande. À mesure que vous avez commencé à mieux percevoir le sens et le but de votre vie en mettant vos nouvelles stratégies en application, je suis certaine que vous aussi avez ressenti une ouverture similaire.

À la fin d'une année merveilleuse et au seuil d'un nouvel an, c'est le temps idéal pour penser à des façons de partager votre chance. Comment concrétiserez-vous ce que vous avez appris dans ces pages, afin d'améliorer la qualité de vie des autres ?

Quels cadeaux aimeriez-vous partager avec ceux qui sont dans le besoin.

Rendre service est la forme la plus élevée de l'engagement spirituel. Au cours de notre dernière semaine ensemble, je veux vous inviter à vous créer un nouveau rituel quotidien qui vous demandera d'ouvrir régulièrement votre cœur aux autres. Il y a plusieurs choses que vous pouvez faire. Vous pourriez choisir une façon d'aider chaque jour une personne dans le besoin, par exemple en apportant de la nourriture à un voisin âgé ou en offrant votre soutien à un camarade de travail découragé. Vous pourriez aussi vous rendre sur le site suivant : *www.thehungersite.com*, où il vous sera possible de donner des denrées aux gens qui ont faim, une fois par jour, gratuitement, juste en cliquant sur un bouton. Les commanditaires de ce site couvrent les frais de ces dons distribués par le programme mondial de nourriture des Nations Unies.

Pour rendre service au quotidien, vous pouvez simplement prêter une oreille attentive à une personne qui a besoin d'être écoutée, ou céder le passage à une voiture dans la circulation. Il s'agit de rechercher les occasions de servir au moins une personne par jour.

En plus de rendre service au quotidien, vous pouvez offrir votre temps, votre attention et vos ressources de diverses façons. L'un de mes rituels favoris pour rendre service est lié au pouvoir de la prière. Je conserve une certaine chandelle dans mon bureau et lorsqu'un ami, un membre de ma famille, un client ou une personne de ma communauté en ligne est dans le besoin, je l'allume et je prie pour que son problème ou son défi se résolve de manière heureuse. Je crois fermement que la prière a le pouvoir de faire des miracles dans notre vie. J'ai appris de première main que lorsque des personnes unissent leurs forces en concentrant leur esprit et leur cœur dans un sens positif puissant, les miracles se produisent. Je vais vous raconter une histoire pour prouver cette affirmation.

Il y a quelques années, la fille nouveau-née de mon frère est tombée gravement malade. Elle avait attrapé un virus rare des voies respiratoires et s'est retrouvée à l'hôpital, sa vie en danger. J'avais peur pour mon frère et ma belle-sœur et je voulais vraiment faire quelque chose pour les aider.

À cette époque, je lisais le livre de Larry Dossey, *Healing Words [Mots de guérison]* qui porte sur les recherches consacrées à l'étude de l'efficacité de la prière. Dossey avait découvert, dans le domaine général de la guérison, plus de 130 études scientifiques qui mentionnaient la prière. Plus de la moitié de ces expériences indiquaient fortement que la prière fonctionnait. Même si je ne le savais pas à ce moment, j'étais sur le point de mener ma propre recherche.

Le jour où elle est entrée en phase critique, j'ai envoyé un courriel à toutes les personnes que je connaissais, leur demandant de faire une pause, d'allumer une chandelle et de prier pour que ma nièce guérisse immédiatement. J'étais inquiète et, dans ma demande d'aide, j'ai contacté toutes les personnes à qui je pouvais penser. Après avoir envoyé mon message, j'ai vite allumé une chandelle et je me suis mise à prier.

J'ai été réconfortée par tous les courriels que j'ai reçus (environ cinquante) de personnes qui m'assuraient de leurs prières et de leurs vœux de guérison. Cette nuit-là, ma nièce a été — d'après ce qu'ont affirmé les médecins — « miraculeusement guérie ». Ils ont été surpris de découvrir que son état était passé de critique à stable, en quelques heures seulement.

Est-ce la prière qui l'a guérie ? Je n'en aurai jamais la certitude, mais j'ai retiré une leçon de cet événement. J'ai appris à m'en remettre au pouvoir divin pour atteindre les gens. J'ai vu que lorsque nous partageons un désir basé sur l'amour, les miracles surviennent.

Qu'a à voir cette histoire avec la conclusion de ce livre ? Lorsque vous amorcerez la prochaine année de votre vie, en plus de créer votre propre rituel de services quotidiens tel que suggéré ci-dessous, je vous invite à vous joindre à un rituel pour célébrer la fin de votre travail.

Quand vous aurez terminé ce livre, allumez une chandelle, assoyez-vous dans le calme et imaginez un monde dans lequel chaque être humain est nourri, libre et sans crainte. Percevez le monde qui s'achemine, dans la paix et la tranquillité, vers un âge d'or où la sagesse et l'amour deviennent une force de changement puissante. Que vous croyiez ou non à la prière importe peu. Visualisez ce désir de toute façon. Qui sait, un miracle nous attend peut-être.

PASSEZ À L'ACTION

Cette semaine, je vous incite à partager votre amour, vos connaissances, votre argent, votre temps, votre attention ou n'importe quel cadeau avec une personne qui en a besoin. Créez votre propre rituel de services quotidiens et mettez-le en pratique. Pour ne pas l'oublier, vous pourriez faire une marque dans votre calendrier à la fin de chaque journée. Ou, chaque matin, posez-vous cette question rituelle : « À qui puis-je offrir mes services aujourd'hui ? » et écrivez la réponse dans votre journal personnel.

Partagez ce que vous avez appris dans ce livre avec ceux qui pourraient profiter de votre sagesse et de votre expérience. Que vous fassiez parvenir un don à une bonne cause, que vous donniez de votre sang, que vous aidiez un collègue à résoudre un problème, accordez-vous la chance de connaître le pouvoir d'ouvrir votre cœur en rendant service.

Les personnes à qui je veux rendre service sont :

_____

Ma façon de leur rendre service est de :

_____

Le premier geste que je vais poser en vue d'instaurer un rituel de services quotidiens est :

_____

RESSOURCES

Habitat for Humanity International
121, rue Habitat
Americus, GA 31709
(912) 924-6936
www.habitat.org
Cet organisme accueille des volontaires de toutes confessions pour construire des habitations décentes et abordables, vendues sans profit.

National Hospice Organization (NHO)
1901, rue North Moore
Suite 901
Arlington, VA 22209
(703) 243-5900
www.nho.org
Voici une méthode charitable pour soutenir les malades en phase terminale. Visitez le site pour trouver un centre près de chez vous.

The Courage to Give [Le courage de donner]
par Jackie Waldman et Janis Leibs Dworkis
(New York : Conari Press, 1999)
Des histoires prenantes de personnes qui ont survécu à une tragédie et qui ont contribué à changer le monde. De Millard Fuller, le fondateur de Habitat for Humanity, à Patch Adams, ces individus courageux sont nés à nouveau de leurs cendres tels des phénix et ont décidé de consacrer leur vie aux autres. Le livre cite aussi des organismes qui s'occupent des causes qu'il soulève. Les lecteurs peuvent ainsi en apprendre davantage et prêter main forte.

http://www.Volunteermatch.org
VolunteerMatch recourt à Internet pour aider des individus partout au pays à trouver des occasions de devenir volontaires dans des organismes régionaux à but non lucratif et du secteur public.

Volunteers of America
Bureau national
110, rue South Union
Alexandria, Virginia 22314
(800) 899-0089
www.voa.org
Un organisme à but non lucratif qui offre plus de 160 programmes pour aider les enfants, les jeunes, les personnes âgées, les familles en crise, les sans-abri, les personnes vivant avec un handicap ou une maladie mentale et les anciens détenus qui réintègrent la société.

The Voice of Hope : Conversations with Burma's Nobel laureate Aung San Suu Kyi [La voix de l'espoir : conversations avec Aung San Suu Kyi, lauréate du prix Nobel, du Myanmar]
par Alan Clements
(New York : Seven Stories Press, 1998)
Un dialogue révélateur et émouvant qui montre le pouvoir de l'amour, du courage et du pardon dans la « révolution pacifique de l'esprit » du Myanmar pour la liberté.

www.WorldDharma.com
Une communauté de chercheurs qui explorent le lien entre notre voyage intérieur et notre engagement dans le monde extérieur par l'amour, la créativité et les services.
Visitez le site Web de cette communauté pour vous abonner à leur bulletin électronique *Spirit in Action : A Guide to Liberation Through Living [L'esprit en action : un guide pour la libération par la vie]*

À PROPOS
DE L'AUTEURE

Cheryl Richardson est une auteure et une conférencière professionnelle qui aide les personnes affairées à réussir dans leur travail sans
compromettre la qualité de leur vie. Ses œuvres ont été largement
diffusées dans les médias, incluant *The Oprah Winfrey Show*, *CBS
This Morning*, le *New York Times*, le magazine *New Age*, *Publishers
Weekly* et le *Boston Globe Sunday Magazine*. Cheryl agit aussi à titre
d'experte sur le site OnHealth.com, où elle tient une rubrique hebdomadaire portant sur l'équilibre entre le travail et la vie personnelle,
lue chaque mois par plus d'un million de personnes.

Si vous désirez plus de renseignements ou si vous voulez vous
joindre à la communauté « Reprenez votre vie en main », abonnez-
vous au bulletin en ligne de Cheryl en vous rendant sur le site
www.cherylrichardson.com